Prins Echo

Prins Echo

Monique van der Zanden
Tekeningen van Philip Hopman

LEESNIVEAU

		ME	ME	ME	ME	ME		
AVI	S	3	4	5	6	7	P	
CLIB	S	3	4	5	6	7	8	P

sprookjes

Toegekend door Cito i.s.m. KPC Groep

1e druk 2009
ISBN 978.90.487. 0539.9
NUR 283

Vormgeving: Rob Galema

Uitgeverij Zwijsen B.V., Tilburg

Voor België:
Uitgeverij Zwijsen.be, Antwerpen
D/2009/1919/ 372

Inhoud

Prins Echo	11
De burcht van de boeman	21
De schat van de veerman	35
De eigenwijze meestersmid	45
De toverboezelaar	55
Hannes en zijn viool	61
Het koperen, het zilveren en het gouden ei	79
De kleine honingbij – een kerststprookje	89

Prins Echo

Er was eens een koning met een machtig gehoor en een krachtige stem. Die had hij broodnodig, want hij regeerde zijn rijk vanaf de top van een duizelingwekkend hoge berg. Het was de allerhoogste berg van de wereld en zó angstig steil dat niemand hem beklimmen kon. Nog nooit hadden de mensen van dat wonderlijke land hun koning gezien. Maar ze konden hem wel horen. Als iemand in het koninkrijk de koning om goede raad wilde vragen, begaf hij zich naar de Fluisterplaats, een cirkelvormige plek vol gekartelde rotsen aan de voet van de berg. Daar tuurde hij omhoog naar het verre, in nevelen gehulde kasteel en vertelde wat hem dwarszat.

De koning boven op de berg kon iedereen verstaan. Zijn gehoor was zo scherp dat hij de blaadjes van een uitgebloeide klaproos beneden in het dal kon horen vallen! De wijze, vriendelijke vorst fluisterde zijn goede raad naar beneden en zo krachtig was zijn stem dat je hem op de Fluisterplaats horen kon.

Dankzij hun rechtvaardige koning leefden alle mensen gelukkig en tevreden. Uit dankbaarheid hingen zij twee gevlochten manden aan de gekartelde rotsen van de Fluisterplaats en iedereen die door de koning geholpen werd, stopte er een geschenk in. Iedere avond cirkelden in de schemering twee adelaars van de besneeuwde toppen omlaag. Zij pikten de boordevolle manden op en wiekten ermee terug naar het kasteel.

Nu bezat de vriendelijke koning een machtig gehoor en een krachtige stem, maar het eeuwige leven bezat hij niet. Op een kwade dag werd hij gloeiend ziek. Hij lag op zijn hemelbed met koorts. Zou zijn einde naderen? Hij liet zijn enige zoon, prins Echo, bij zich komen.

'Mijn allerbeste Echo,' sprak de vorst schor. 'Ik ben te zwak om nog te regeren. Ik geef je mijn machtige gehoor en mijn krachtige stem. Vanaf vandaag zul jij de koning zijn.'

Hij drukte zijn voorhoofd tegen het voorhoofd van prins Echo en opeens merkte de jongeman dat zijn gehoor zo scherp was, dat hij de blaadjes van een uitgebloeide klaproos beneden in het dal kon horen vallen.

'Dankjewel vader!' zei hij opgetogen. Maar hij vergat te fluisteren met zijn krachtige stem, zodat er een barst in de gouden kroon sprong.

Zo was plotseling prins Echo aan de macht, tot zijn overgrote blijdschap. Hij had er lang naar uitgekeken de gouden koningskroon te dragen. Meteen danste hij heel onkoninklijk naar de galerij van het kasteel om te horen of er misschien iemand op de Fluisterplaats stond. Hij had geluk: beneden in het dal was zojuist een hoefsmid aangekomen. De gespierde smid legde voorzichtig zeven eieren in de gevlochten mand en spreidde toen zijn eeltige handen om zijn nood te klagen.

'Luister naar mijn ellendige verhaal, majesteit,' sprak hij tandenknarsend. 'Ik ben hoefsmid in een boerendorpje, anderhalve dagreis van hier. Vorig jaar kwam er naast mij een tweede hoefsmid wonen en – ik moet het tot mijn spijt erkennen – hij verstaat het ambacht uitstekend. Iedereen uit de wijde omtrek gaat tegenwoordig met zijn paarden naar mijn buurman. Ik verdien het zout in de pap niet meer. Edele majesteit, ik moet negen kinderen en mijn zieke grootmoeder voeden. Vertel mij, wat moet ik beginnen?'

Prins Echo grinnikte.

'Bovenstebeste kerel,' fluisterde hij. 'Voorheen zou je dit antwoord hebben gekregen: ga bij je buurman in de leer. Werk daarna vrolijk samen, zodat de hele streek er plezier van heeft.'

Het gezicht van de smid versomberde. De andere hoefsmid was stukken jonger dan hij. Iedereen zou hem uitlachen als hij bij zo'n ukkie in de leer ging! Prins Echo was echter nog niet uitgesproken.

'Maar omdat jij het bent, heb ik een fantastisch voorstel: schud honderd goudstukken in de gevlochten manden zodat mijn adelaars die kunnen ophalen. In ruil daarvoor zal ik je een geheime spelonk wijzen waar je betoverde steenkool kunt delven. Wanneer je daarmee je smidsvuur stookt, zal je werk niet te overtreffen zijn! Je zult ervoor kunnen vragen wat je wilt en weldra zul je schatrijk zijn. Van die rijkdom moet je mij steeds een tiende komen brengen.'

Dáár had de hoefsmid wel oren naar. Deze raad beviel hem veel beter dan de eerste! Hij beloofde prins Echo spoedig terug te komen met het goud en hij haastte zich terug naar zijn dorp.

Terwijl prins Echo zich boven op de berg in zijn handen wreef bij het vooruitzicht op een flinke stapel goudstukken, kwam op de Fluisterplaats een kleine geitenhoeder vanachter de rotsen tevoorschijn. Stomverbaasd staarde hij naar boven. Hij had al tientallen keren gehoord hoe mensen hier raad kregen van hun vorst, maar nog nooit was die zo merkwaardig geweest. Plotseling mekkerde zijn jongste geitje, omdat het was vastgeraakt in een warrige doornstruik. De geitenhoeder snelde toe en was alweer vergeten wat hij zojuist gehoord had.

Maar de volgende ochtend, toen hij weer met zijn kleine kudde bij de Fluisterplaats was, ving hij opnieuw een vreemd gesprek op. Er stond een kruidenvrouw die schijnheilig verzuchtte: 'Liefste majesteit, ik zou zo verschrikkelijk graag alle stakkerds die ziek zijn, genezen! Het zou hen zielsgelukkig maken. Zou dat niet heerlijk wezen?'

Daar klonk prins Echo's stem al droogjes uit de wolkenflarden: 'En het zou jou natuurlijk wereldberoemd maken. Zou dat niet heerlijk wezen?'

Vóór de kruidenvrouw, die scharlakenrood werd, kon protesteren, ging hij verder: 'Beste vrouw, voorheen zou het antwoord hebben geluid: werk ijverig en studeer hard, dan word je vanzelf beroemd.'

De kruidenvrouw rimpelde vol afschuw haar mopsneus. Ze was eerlijk gezegd een ontzettende luilak. Daarom spitste ze haar oren toen prins Echo vervolgde:

'Aan de andere kant heb ik een voorstel waaraan we allebei wat kunnen hebben: schud honderd goudstukken in de gevlochten manden zodat mijn adelaars die kunnen halen. In ruil daarvoor stuur ik je het recept van een toverdrankje dat jong en oud van elke denkbare kwaal genezen kan.'

Nu verschoot de vrouw van kleur. 'Edele heer, zoveel geld heb ik niet,' jammerde ze.

Maar prins Echo onderbrak haar: 'Vrouwe,' sprak hij koeltjes, 'gebruik je verstand. Verkoop je koeien en je kippetjes, dan kun je mijne majesteit die som gemakkelijk betalen. Maar goed, dan geen handig toverdrankje. Ik weet nog wel een andere oplossing: vraag aan elke patiënt zeven goudstukken voor zijn genezing. Betaalt hij niet, dan stuur je hem weg. Betaalt hij wel, dan breng je vier goudstukken naar mij. In ruil daarvoor wijs ik je het kruid waarmee je hem genezen kunt.'

De geitenhoeder luisterde met opengezakte mond toe. Was dit wijze en rechtvaardige raad? Wie stond daar eigenlijk boven op de berg, met een krachtige stem en een machtig gehoor? De jongen besloot om vanaf die dag de Fluisterplaats nauwlettend in de gaten te houden, en rondzwervend met zijn kudde geiten ving hij er tientallen vreemde gesprekken op. Gaandeweg hoorde hij ook hoe alles in het koninkrijk in het honderd begon te lopen. Veel mensen gedroegen zich zelfzuchtig en wreed en veel anderen voelden zich diep ongelukkig.

Op zekere dag vond de geitenhoeder het welletjes. Hij kon niet geloven dat de oude koning dit allemaal bekokstoofde. Waarschijnlijk wist de oude koning er helemaal niets van af! De jongen vond dat iemand het hem moest gaan vertellen, en toen de avond viel, sloop hij naar de Fluisterplaats. De gevlochten manden die aan de gekartelde rotsen hingen, waren tot de rand gevuld met goud- en zilverstukken die glinsterden in de maneschijn. De geitenhoeder nam uit een van de manden de helft van het goud en verborg dat tussen de struiken. Daarna verstopte hij zich onder de rest van de munten. Geduldig wachtte hij tot de adelaars kwamen.

Het duurde niet lang. Met lange, trage vleugelslagen zeilden ze van de besneeuwde bergkammen naar beneden. Hun klauwen grepen de hengsels van de manden. Toen wiekten de reusachtige vogels moeizaam met hun zware last omhoog. Na een duizelingwekkende tocht landden ze op de galerij van het kasteel, waar het ijskoud en stil was.

'Voor wie is al dit goud, mijn liefste broertje?' vroeg de ene adelaar.

'Voor prins Echo die in de morgenstond
hier gretig met zijn schatkist komt,'

antwoordde de andere.

Daarna lieten zij de manden los en vlogen terug naar hun nest op de hoogste torentrans.

Voorzichtig gluurde de geitenhoeder over de rand van zijn verstopplaats. Er was niemand te zien. Hij klauterde rinkelend uit de mand en sloop behoedzaam door de gangen van het kasteel, op zoek naar de oude koning. Hij moest ervoor zorgen dat hij prins Echo niet tegenkwam! Uit het gesprek tussen de adelaars had hij wel begrepen dat het de kroonprins was, die alle ellende veroorzaakte.

Urenlang dwaalde hij rond, tot hij ten slotte voor een ebbenhouten deur met een zilveren kroontje stond. Erachter klonk luid gesnurk. De geitenhoeder aarzelde niet: hij opende de deur en glipte de drempel over, een schemerdonkere kamer binnen. Het was een slaapkamer en in het midden stond een deftig hemelbed waaraan donkerblauwe, fluwelen gordijnen hingen.

Op zijn tenen liep de geitenhoeder ernaartoe om te kijken wie daar sliep. Maar doordat het zo donker was, struikelde hij over een lange baard die van de lakens gegleden was en op de marmeren vloer slierde. Het was de baard van de oude koning! Met een kreet schrok die wakker en schreeuwde: 'Au au! Wie trapt daar op mijn baard?'

'Majesteit!' lispelde de jonge geitenhoeder geschrokken en knielde neer.

De koning ging rechtop zitten, terwijl hij verwilderd naar zijn bezoeker staarde. Een ogenblik dacht hij dat hij droomde, maar de jongen begon hakkelend te praten en vertelde de vorst van alle vreemde dingen die beneden in zijn koninkrijk gebeurden. Toen zijn bezoeker uitgestotterd was, sprong de koning klaarwakker en woedend uit bed.

'Prins Echo!!' bulderde hij.

Natuurlijk hoorde de prins hem maar al te goed. In een paar tellen stond hij in de slaapkamer. Hij werd spierwit toen hij de geitenhoeder bij zijn vaders hemelbed zag. Zijn spel was ongetwijfeld uit! De oude koning ging dreigend voor zijn bibberende zoon staan.

'Je machtige gehoor en je krachtige stem afpakken kan ik niet,' snauwde hij. 'Maar wél kan ik ervoor zorgen dat je die kostbare gaven niet langer misbruikt. Vanaf vandaag zul je alleen nog maar kunnen herhalen wat iemand zegt zodat de mensen in het land hun eigen woorden terughoren als ze je roepen, en niet op rare, zelfzuchtige ideeën gebracht worden. Verdwijn voorgoed uit dit kasteel, laffe wezel!'

'... ezel, ezel, ezel,' stamelde prins Echo, en hij vluchtte de kamer uit.

Vanaf die tijd heeft niemand hem ooit meer gezien. Vol schaamte verschuilt hij zich in diepe spelonken, in donkere kloven, grotten en putten. Maar horen kun je hem wel! Met zijn machtige oren vangt prins Echo alle geluiden op, en als je even geduld hebt, klinkt daar zijn krachtige stem die herhaalt wat je zegt.

De burcht van de boeman

Er was eens een land, mijlenver hiervandaan, waar een woeste boeman woonde. Hij woonde in een zwarte burcht onder in een duizeldiepe, donkere put en iedere nacht kwam hij tevoorschijn. Dan sloop hij snuivend door de duisternis om kinderen te roven. De boeman zag ze niet met zijn kleine, vuurrode ogen, maar hij kon ze uitstekend ruiken. Als hij een jongetje of meisje te pakken had, klemde hij het onder zijn harige armen en voerde het mee naar zijn burcht, en niemand zag het ooit terug.

Iedere nacht lagen alle kinderen van dat land te bibberen onder hun dekens. Het allerbangst van allemaal was Maan. Hij woonde met zijn ouders en kleine zusje in een armoedig huisje in het woud. Iedere donderdagochtend gingen zijn vader en moeder naar een afgelegen stadje om daar sprokkelhout te verkopen op de markt. Nadat ze hun takkenbossen verkocht hadden, moesten ze in een herberg overnachten. Daarom waren Maan en zijn zusje iedere donderdagnacht moederziel alleen thuis.

'Hou de deur stevig op slot, kinderen,' zei hun vader altijd voordat hij wegging. 'Doe voor niemand open, dan kan jullie niets gebeuren.'

Maar eens op een donderdagnacht hoorde Maans kleine zusje een zacht gescharrel bij de deur.

'Maan, ik hoor iemand scharrelen bij de deur.

Het is vast ons arme, gestreepte poesje.
Ik moet haar binnenlaten!'

'Zusje, doe dat niet alsjeblieft! Het is de verschrikkelijke boeman die je zal meevoeren naar zijn zwarte burcht!'

Toen klonk er een zacht gesnuffel bij de deur.

'Maan, ik hoor iemand snuffelen bij de deur.
Het is vast ons arme, gestreepte poesje.
Ze is buiten in het donkere nachtwoud.
Ik moet haar binnenlaten!'

'Zusje, doe dat niet alsjeblieft! Het is de verschrikkelijke boeman die je zal meevoeren naar zijn zwarte burcht!'

Toen klonk er een zacht gekrabbel aan de deur en het werd zusje te machtig. Ze klauterde uit bed en schoof de grendels van de deur.

Met een reuzensprong stond de boeman binnen! Zijn bijziende rode ogen staarden zusje gluiperig aan. Hij greep haar, klemde haar stevig onder zijn harige armen en rende met haar naar zijn zwarte burcht.

Maan was zo verschrikkelijk bang dat zijn tanden klapperden, maar toch rende hij achter de gemene boeman aan. Hij rende en rende, hij klauterde over beboste heuvels en waadde door modderige moerassen en eindelijk kwam hij bij de duizeldiepe, donkere put. De boeman was er allang in verdwenen maar bij de putrand lag het schoentje van zusje. Er zat niets anders op: Maan moest naar beneden. Hij kneep zijn ogen dicht en sprong.

Op de bodem van de put deed hij zijn ogen weer open. Hij stond onder een hemel zonder sterren in een nacht zo zwart als inkt. Voor zijn voeten slingerde een stoffig zandpaadje de duisternis in. Maan volgde het met bonzend hart. Over harde rotsen voerde zijn weg en zijn benen haakten achter doornige takken. Knoestige kronkelbomen bogen zich krakend voorover en probeerden hem te grijpen. Een ransuil in een eikenboom gaf een schreeuw:

'Keeromme,
keeromme!'

Maar Maan strompelde verder, want hij wilde zijn zusje terug.

Plotseling rees een hoge, zwarte burcht voor hem op met ijzeren muren en torens van tin. Toen Maan schoorvoetend dichterbij kwam, wiekte van de transen een wolk torenkraaien op, die krassend rond zijn hoofd vlogen. Hun fladderende vleugels sloegen tegen zijn gezicht, hun snavels hakten in zijn schouders. De vogels schreeuwden:

'Keeromme,
keeromme!'

Maar het zandpad eindigde bij de kasteelpoort en die stond op een kier, dus Maan sloeg naar de torenkraaien en rende vliegensvlug naar binnen. De loodzware, zwarte poort dreunde achter hem dicht.

Bibberend sloop hij door de burcht van de boeman. Zijn voetstappen galmden in de gangen die stonken naar zwavel en pek. Negen bochten ging hij om ... Toen stond hij plotseling in een reusachtige zaal, waar in het midden een troon van smeulende steenkool stond, die gloeide en knisperde. Sliertjes grijze rook kringelden naar het ijzeren plafond. Naast de steenkooltroon lag een bloedhond zo groot als een os en op de troon zat de verschrikkelijke boeman met zijn wrattenkop en klittende haar. Hij loerde naar Maan en grijnsde zijn slagtanden bloot terwijl hij kakelde: 'Warempel, warempel, een mensenkind! Het eerste mensenkind dat ooit op zijn eigen benen naar mijn burcht kwam lopen. Kom naar mijn troon, kereltje, en laat me eens voelen hoeveel spek er op je botten zit. Je zult een allersmakelijkst hapje zijn als ik je gebraden heb!'

Maan kon van louter angst geen woord uitbrengen. Maar plotseling voelde hij een felle vlam van drift en hij schreeuwde: 'Jij hebt mijn zusje gestolen, gemene boeman! Ik ben hiernaartoe gekomen om haar te halen. Geef haar terug!'

De boeman begon bulderend te lachen.

'Hoor me die kleine krielkip eens,' schaterde hij snuivend en snorkend. 'Jij bent dapper, ventje, om af te dalen in de put van de boeman! En jij dacht zomaar eventjes je zusje terug te krijgen? Donder en bliksem, misschien lukt het je wel, want ik vind je een vermakelijk kereltje. Luister goed en vertel me binnen drie dagen hoe oud ik ben. Als je het raadt, mag je je zusje meenemen, maar als je je vergist, vreet ik je op!'

Maan zwierf wanhopig door de donkere burcht. Hij kon niet ontsnappen want de kasteelpoort zat met zeventien grendels op slot. Hij was verloren, want hij kon onmogelijk de leeftijd van de verschrikkelijke boeman raden! Doodsbang keek hij toe hoe de boeman alvast het spit boven het haardvuur hing en zich verkneukelde:

'Nooit weet hij het antwoord op mijn vraag,
dat sappige hapje voor mijn rammelende maag!'

Toen de avond viel, smeet de boeman een schimmelige strozak naar Maan en spotlachte: 'Slaap lekker, moedig mannetje, misschien droom je het antwoord op mijn raadseltje wel!'

Maan ging liggen, maar hij sliep niet. Bibberend luisterde hij naar het schorre krassen van de kraaien op de tinnen torens.

Om middernacht boog de boeman zich over hem

heen, terwijl hij siste: 'Sluimer je, verrukkelijk kluifje?'

Maan rilde van angst, maar deed alsof hij sliep. Toen liep de boeman naar een kast, haalde er een kistje van wilgenhout uit en streelde gnuivend het deksel terwijl hij mompelde: 'Mijn liefje, mijn liefje, als hij toch eens weten zou.'

Daarna zette hij het met een gemene grijns terug op de bovenste plank en verdween om kinderen te gaan roven.

Ook de tweede avond smeet de boeman een schimmelige strozak naar Maan, en zei spottend: 'Slaap lekker, misschien droom je het antwoord op mijn raadseltje wel!'

Maan ging liggen, maar zorgde ervoor dat hij klaarwakker bleef. Opnieuw zag hij hoe de boeman het wilgenhouten kistje streelde en mompelde: 'Mijn liefje, mijn liefje, als hij toch eens weten zou.'

Daarna zette hij het met een gemene grijns terug op de bovenste plank en verdween op rooftocht.

De derde nacht gebeurde hetzelfde. Nu werd Maan verschrikkelijk nieuwsgierig naar wat er in het geheimzinnige kistje zat. Hij wachtte tot de boeman verdwenen was en sloop op vederlichte voeten naar de kast. Hij pakte het wilgenhouten kistje van de bovenste plank en probeerde het open te maken, maar het zat stevig op slot. Maan voelde in zijn broekzak en haalde een zilveren sleuteltje tevoorschijn dat hij van zijn vader en moeder had gekregen op zijn zevende verjaardag. Niemand wist waarop het paste, maar hij had het altijd zorgvuldig bewaard. Maan stak zijn sleuteltje in het slot van het wilgenhouten kistje ... en het deksel sprong knarsend open!

Bijna gooide hij het kistje met een schreeuw van afschuw weg: een sneeuwwit doodshoofd grijnsde hem van de bodem aan!

Het doodshoofd smeekte:

'Jongeman, heb mededogen!
Leg een gloeiend kooltje in mijn ogen.
Daarna vertel ik je gewis
hoe oud de boze boeman is.'

Stomverwonderd deed Maan wat het sneeuwwitte doodshoofd vroeg. Hij haalde een roodgloeiend steenkooltje uit het haardvuur en legde het voorzichtig in de linkeroogkas van de schedel. Die fluisterde:

'Zo oud als het begin van de wereld,
geboren bij het eerste ochtendgloren.'

Maan klapte het wilgenhouten kistje dicht en zette het terug op de bovenste plank. Toen ging hij met een gerust gemoed slapen.

De volgende morgen riep de boeman hem bij zich. Handenwrijvend zat hij op zijn knisperende steenkooltroon en vroeg: 'En? Vertel mij eens hoe oud ik ben?'

Maan ging onverschrokken rechtop staan en antwoordde:

'Zo oud als het begin van de wereld,
geboren bij het eerste ochtendgloren.'

Razend werd de boeman! Spuugbellen schuimden uit zijn mond. Hij stampte op de grond zodat de zwarte burcht daverde. Met een vertrokken gezicht brulde hij: 'En dacht jij nu je kleine snotzusje terug te krijgen? Als je werkelijk zo'n slimme jongen bent, vertel me dan binnen drie dagen hoeveel haren op mijn hoofd groeien. Als je het raadt, mag je je zusje meenemen, maar als je je vergist, vreet ik je op!'

Ditmaal ging Maan het meteen aan het doodshoofd vragen. De boeman was nog maar nauwelijks verdwenen op rooftocht, of Maan maakte het wilgenhouten kistje open met zijn zilveren sleuteltje en smeekte: 'Help me, doodshoofd, anders zal de boeman me opeten.'

'Ik zal je helpen in dit angstige uur.
Leg in mijn rechteroog een gloeiend kooltje vuur.'

Maan deed wat het doodshoofd hem vroeg.

'Meer haren als sterren aan de hemel,
meer haren als golven in de zee.'

Toen Maan dat wist, ging hij met een gerust gemoed slapen.

De volgende morgen riep de boeman hem bij zich. Likkebaardend zat hij op zijn knisperende steenkooltroon en grijnsde: 'Nu? Hoeveel haren heb ik op mijn hoofd?'

Maan ging onverschrokken voor hem staan en antwoordde:

'Meer haren als sterren aan de hemel,
meer haren als golven in de zee.'

Razend werd de boeman! Hij kwijlde van woede. Hij sloeg met zijn vuist op zijn troon zodat de steenkool vlammend rondspatte. Met een vertrokken gezicht brulde hij: 'En dacht jij nu je kleine snotzusje terug te krijgen? Als je werkelijk zo'n slimme jongen bent, vertel me dan binnen drie dagen waar mijn hart zich bevindt. Als je het raadt, mag je je zusje meenemen, maar als je je vergist, vreet ik je op!'

Weer wachtte Maan tot de boeman weg was. Toen opende hij voor de derde maal het wilgenhouten kistje. Hij schreeuwde van schrik en liet het bijna vallen. Het doodshoofd was veranderd in een levend meisjeshoofd met goudblonde lokken! Haar bedroefde blauwe ogen keken hem smekend aan.

'Leg mij in de haard van de boeman, lief kind,
dan vertel ik je waar zijn hart zich bevindt.'

Bibberend legde Maan het meisjeshoofd in de gloeiende as en kijk, er stapte een beeldschone prinses met ruisende rokken uit de haard!

'Ik ben de meesteres van de burcht,' vertelde de prinses. 'De boeman had mij betoverd en hield mij gevangen in het wilgenhouten kistje. Kom vlug mee, dan breng ik je naar zijn hart.'

Honderdnegenentwintig wenteltrappen renden ze af, tot in de diepste, donkerste kelder. Op de plavuizen stond een loden kist die met kettingen omwonden was. Er hing een groot, roestig hangslot aan.

'Neem je zilveren sleuteltje,' sprak de prinses.

Maan pakte zijn sleuteltje, stak het in het hangslot en draaide het om zodat de kettingen rinkelend van de kist vielen. Toen hij het deksel openzwaaide, zag hij een hart dat traag klopte.

'Dit is het hart van de boeman,' vertelde de prinses. 'Ga ermee naar de troonzaal en voer het aan de bloedhond die naast de smeulende steenkooltroon ligt, dan zal de betovering van de zwarte burcht verbroken worden.'

Maan pakte griezelend het kloppende hart in zijn

handen en droeg het naar boven, alle honderdnegenentwintig wenteltrappen op.

Eenmaal boven gekomen, hoorde hij iemand woedend schreeuwen. De boeman kwam door de kasteelpoort! Hij had gevoeld dat er iets niet in de haak was en was vliegensvlug teruggerend naar zijn ijzeren burcht. Nu stormde hij brullend door de gangen, zoekend naar Maan.

'Waar is mijn hart?' bulderde hij radeloos.

'Zal ik het antwoord geven?' schreeuwde Maan en hij smeet het hart naar de bloedhond die naast de steenkooltroon lag.

Hap!

Met één reusachtige hap schrokte de bloedhond het naar binnen, juist toen de boeman de troonzaal in rende.

'Néé!' jammerde die ontzet.

Hij keek met uitpuilende ogen naar de bloedhond die zijn druipende muil likte. Plotseling klonk er een donderslag en er flakkerde een blauwgroen licht. Onder oorverdovend gekraak spleet de vloer open, precies onder de voeten van de verschrikkelijke boeman. Hij stortte gillend in de bodemloze kloof en nooit kwam hij weerom.

Toen de kloof zich sloot, sidderde de zwarte burcht zodat alles rammelde en rinkelde. De ijzeren muren veranderden in kristal, de tinnen torens veranderden in zilver. De troon van smeulende steenkool werd een troon van zuiver goud en op de plaats waar de bloedhond gelegen had, stond nu ... zusje! Ze huilde en lachte en struikelde in Maans armen.

Opeens was de burcht vol gejuich en vlugge voeten. Een lange stoet jongens en meisjes kwam zingend de troonzaal binnen, waar ze vlak voor Maan bleven staan.

'De verschrikkelijke boeman had ons opgeslokt en onze zielen veranderd in torenkraaien,' vertelde de kleinste. 'Wij waren het die rondom de transen vlogen. Jij hebt de betovering verbroken en nu kunnen we naar huis.'

En ze maakten een vrolijke kring en dansten om Maan heen.

Ook Maan en zusje konden nu terug naar hun vader en moeder, maar voor ze vertrokken, schonk de prinses Maan als beloning voor zijn moed een flonkerende edelsteen. Zusje en hij droegen die voorzichtig de put uit, het woud door, naar huis. Nooit heeft het hen meer aan iets ontbroken!

De schat van de veerman

Er was eens een prins die slechts een piepklein koninkrijkje bezat. Wat velden, een eikenbos, een paleis ... dat was alles. In het hele land woonde maar één onderdaan – een goedmoedige os. Het koninkrijk was niet alleen piepklein, maar ook verschrikkelijk arm. Het dak van het paleis lekte en de prins at elke dag niets anders dan een schotel bruine bonen met uien. Toch was hij heel vrolijk en tevreden. Hij had maar één onvervulde wens: hij wilde dolgraag trouwen met een lieve vrouw. Daarom wandelde de prins op een zonnige lentedag naar het naburige koninkrijk om daar de koning om de hand van zijn jongste dochter te vragen.

Zijn hooggeboren buurman was schatrijk. Het marmeren paleis waarin hij woonde met honderd lakeien had zeven zilveren torens en in de kelders lagen de goudstukken en juwelen hoog opgestapeld.

Het beste van het beste vond deze verwende, trotse koning nog niet goed genoeg en daarom haalde hij zijn neus op toen de straatarme prins in de troonzaal verscheen. Hij werd woedend toen die het waagde de hand van zijn dochter te vragen!

'Vergeet het gerust!' bulderde hij. 'Wat heb jij haar te bieden? Een lekkend paleis, een aftandse os en een schotel bruine bonen als avondmaal! Scheer je weg, armoedzaaier!'

Maar de prinses had alles gehoord en gezien en de jonge, goedgemutste prins beviel haar wel. Zij legde haar hand op haar vaders schouder en zei zachtjes: 'Ach vadertjelief, hij lijkt mij een aardige kerel en hij heeft tenslotte koninklijk bloed. Kunnen we hem niet een kansje geven om mijn bruidegom te worden?'

De koning kon zijn dochter niets weigeren en dacht diep na.

'Vooruit,' sprak hij tandenknarsend. 'Als hij mij vandaag over drie jaar een berg goud kan tonen die méér waard is dan alle schatten beneden in mijn kelders, dan mag hij met je trouwen.'

Daarmee moest de prins het doen en hij keerde terug naar zijn eigen kleine koninkrijk.

Op de terugweg wandelde de prins door het enige bos dat hij bezat. Tussen de bomen was het aangenaam en koel en hij ging onder een dikke eik zitten om na te denken. Waar haalde hij zo'n reusachtige bruidsschat vandaan in amper drie jaren? Terwijl hij piekerde, zag hij plotseling een eindje verderop een door klimop overwoekerde wegwijzer staan. Verwonderd keek hij ernaar. Hij kon zich helemaal niet herinneren dat er een wegwijzer in zijn bos stond. De prins liep er nieuwsgierig naartoe en ontcijferde de woorden op het bemoste houten bordje: 'Naar het Veer'.

Nog nieuwsgieriger volgde hij het smalle slingerpaadje door het kreupelhout, dat er nooit eerder geweest was. Opeens kwam hij bij de oever van een groot meer en keek verrast uit over het wijde, glinsterende water.

Het geplons van roeiriemen weerklonk en even later legde een kleine boot tussen de rietstengels aan. De veerman was een dwerg met een krullende, sneeuwwitte baard. Hij staarde de prins ernstig aan en vroeg: 'Wilt u zich een schat vergaren?'

De prins grinnikte vrolijk: 'Dat komt geweldig uit! Ik zit nogal dringend verlegen om een bruidsschat. Hoe heb je dat geraden?'

De dwerg gebaarde hem plaats te nemen op het plankje achter in de veerboot en stootte af. De overtocht duurde lang, maar uiteindelijk botsten ze tegen de rotsachtige oever van een eiland midden in het meer. Ze stapten uit het wiebelige bootje en daalden af in een diepe grot. Beneden was een zware, met zilveren kopspijkers beslagen houten deur.

'Hierachter bewaar ik mijn schatten,' vertrouwde de dwerg de prins toe. 'Vandaag vertrek ik voor zeven weken op reis en ik vraag je deze deur te bewaken. Als ik terugkom, zal ik je rijkelijk belonen.'

Dat leek de prins een uitstekende overeenkomst en hij stemde toe.

Vanaf dat ogenblik zat de straatarme prins alle dagen en nachten geduldig voor de zilverbeslagen deur. Iedere avond verschenen er drie witte muizen die hem brood brachten zodat hij geen honger hoefde te lijden.

Maar op de zevende avond verscheen er een bok met gedraaide hoorns en een krullende, sneeuwwitte bibbersik. Het beest bracht hem een verrukkelijk maal van gebraden vlees en zoete wijn, waarvan de geuren de prins in zijn neus kietelden. De bok keek met scheefgehouden kop toe hoe hij alles tot de laatste kruimel verorberde, en mekkerde daarna: 'Wat zou je ervan vinden om iedere dag van zo'n koningsmaal te genieten, bovenstebeste prins? Ik weet een manier om de geheimzinnige deur die je bewaakt te openen. De dwerg blijft nog wekenlang weg, je zult tijd genoeg hebben om zijn fabelachtige rijkdommen in je paleis te verstoppen.'

'Dankjewel voor de heerlijke maaltijd,' zei de prins grimmig, 'maar een lafhartige dief zul je niet van mij maken, makker. Scheer je weg!'

De bok galoppeerde de spelonk uit.

Op de zevende dag van de tweede week verscheen het beest echter weer. Ditmaal droeg hij zilveren schalen vol knapperige pasteien, die de prins het water in zijn mond deden lopen. Hij at zijn buik barstensvol, terwijl de bok knipogend fluisterde: 'Bovenstebeste prins, als je eens wist van de fantastische schatten achter deze deur. Wie weet met wat voor armzalig loontje die gierige dwerg je straks naar je lekkende paleis terugstuurt. Wees verstandig en neem wat je toekomt. Op jouw bevel zal ik de zilverbeslagen deur openmaken.'

De prins bedankte de bok voor het heerlijke eten, maar daarna verjoeg hij hem met de waarschuwing: 'Probeer geen vuile verrader van mij te maken!'

Iedere week kwam de bok met de gedraaide hoorns terug en probeerde de prins over te halen de schatkamer te plunderen, maar die piekerde er niet over! Hij was dankbaar voor het brood dat de witte muizen hem dagelijks brachten en hij genoot van de verrukkelijke maaltijden die de bok hem voorschotelde, maar telkens wanneer het dier over het stelen van de schat begon, joeg hij het zonder pardon de grot uit. Zo gingen de weken voorbij en op de zevende dag van de zevende week was de dwerg er weer.

Het mannetje streelde tevreden zijn sneeuwwitte, krullende baard toen hij de prins zag zitten bij de zilverbeslagen deur.

'Je hebt je taak uitstekend volbracht, trouwe vriend,' glimlachte hij. 'Nu zul je je welverdiende beloning krijgen.'

Hij pakte een sleutel uit zijn boezeroen en opende daarmee de zware deur. De prins keek nieuwsgierig rond terwijl hij over de drempel van de schatkamer stapte. Tot zijn verbazing zag hij geen goudstukken of juwelen, maar alleen duizenden rieten manden vol piepkleine korreltjes. De dwerg lachte om zijn beteuterde gezicht.

'Dit is de grootste schat van de wereld,' zei hij. 'Je ziet hier alle soorten zaad bijeen die de goede God ooit geschapen heeft.'

Hij stapte naar een van de manden en haalde daar een handvol graankorrels uit.

'Dit is je beloning,' sprak hij ernstig. 'Deze graankorrels ... en deze kalebas.'

Het graan stroomde uit zijn knoestige hand de kalebas in. Daarna knikte de dwerg de verbaasde prins vriendelijk toe en zei: 'Ik breng je nu weer naar je koninkrijk terug. Wanneer je uit mijn veerboot op de walkant stapt, moet je het graan in je broekzakken doen en de kalebas vullen met water uit het meer. Ploeg je akkers, zaai de graankorrels en begiet de aarde met water uit de kalebas. Werk hard, en over drie jaar zul je je bruidsschat hebben vergaard.'

De prins deed alles precies zoals de dwerg hem had gezegd. Lustig fluitend bewerkte hij met zijn os de akkers en zaaide de graankorrels in de geploegde voren. Toen de jonge, groene scheuten opkwamen, begoot hij ze met het water uit de kalebas. Tot zijn stomme verbazing raakte de kalebas nooit leeg. Het graan schoot hoog op en de halmen bogen onder het gewicht van de rijpende korrels. Die groeiden en rijpten zó vliegensvlug dat de prins na de eerste oogst nog dezelfde zomer weer kon inzaaien, en vóór de winter inviel met sneeuwstormen en ijsregens, lagen ook de graanzakken met de tweede oogst veilig in zijn schuren.

Het tweede jaar teisterde een verschrikkelijke droogte het land. In het kleine koninkrijk van de prins viel geen druppeltje regen, in het voorjaar niet, en in de zomer evenmin. Gelukkig had de prins zijn wonderlijke kalebas en het graan groeide zelfs nog voorspoediger dan tevoren. In ieder hoekje van zijn land wiegden de halmen in de verschroeiende zonnestralen.

Overal droogden de beken en rivieren op. In het naburige koninkrijk verdorden de gewassen op de velden. Langzaamaan raakten alle voorraden uitgeput. Er kwam hongersnood in het land. De schatrijke koning liet zakken vol goudstukken uit zijn kelders op wagens laden en stuurde zijn knechten hiermee naar heinde en verre om voedsel te kopen. Zo zongen zijn onderdanen het dat jaar van grote droogte uit. Maar ook in het jaar daarna regende het niet. De koninklijke wagens werden opnieuw uitgezonden. Ze keerden echter vruchteloos terug uit verre streken, mét de goudstukken, maar zonder eten. Nergens in het koninkrijk was voedsel te vinden. Het kleine koninkrijkje van de goedgemutste prins was iedereen allang vergeten.

Toen er drie jaren verstreken waren sinds zijn onfortuinlijke bezoek aan de rijke koning, hoorde de prins van de hongersnood in zijn buurland. Hij kreeg medelijden met de mensen daar.

'Ik heb zoveel tarwe dat mijn schuren bijna barsten,' mompelde hij. 'Waarom zou ik de ratten en de muizen laten feestvieren? Ik schenk alles aan mijn buurman zodat zijn onderdanen kunnen eten.'

Hij spande zijn os voor de enige wagen die hij bezat en stapelde er zoveel graanzakken op dat de assen krakend doorbogen. Daarna zwaaide hij nog een zak over zijn schouder en wandelde naar het marmeren paleis met de zeven zilveren torens.

Het nieuws dat er graan in aantocht was, snelde hem vooruit en toen hij met zijn ossenwagen bij het marmeren paleis aankwam, stond de schatrijke koning met zijn honderd lakeien al reikhalzend te wachten aan de poort. Ook de lieftallige prinses stond daar, met schitterende ogen. Onder luidkeels gejuich bolderde de prins met zijn ossenwagen de binnenplaats op. Daar kieperde hij de graanzak die hij op zijn schouders gedragen had leeg voor de deftige laarzen van zijn koninklijke buurman. De zonnestralen deden de stroom tarwekorrels flonkeren als een gouden rivier.

'Majesteit, vandaag breng ik u mijn bruidsschat,' sprak de prins stralend. 'Deze schat is vast en zeker meer waard dan al het goud in uw kelders ... want van dit goud kunnen de mensen brood bakken. U kunt de rest in mijn paleis laten ophalen.'

En zo voerde de prins zijn bruid mee naar huis, hoog gezeten op de ossenwagen, terwijl de molens in haar land weer maalden. In het kleine koninkrijk leefden zij samen nog lang en heel gelukkig.

De eigenwijze meestersmid

Er was eens, lang geleden, een smid die altijd alles beter wist. Hij had twaalf knechten en die werden hoorndol van hem. Ze moesten precies werken zoals hun eigenwijze meester het wilde. Er was maar één enkele manier goed, en dat was zijn manier. Altijd als een knecht een karweitje onder handen had, kwam de meestersmid achter hem staan, aandachtig toekijkend hoe de jongeman de smidshamer hanteerde. Vroeger of later klonk het vriendelijk maar beslist in het oor van de knecht:

'Beste knaap, je meent het goed,
maar ík zeg dat het anders moet.'

Wee de knecht die het waagde om tegen te sputteren! Als hij probeerde uit te leggen waarom hij op die manier werkte, werd de meestersmid spinnijdig:

'Suffe knecht, zwijg jij gauw stil,
smeed het zoals ík het wil!
Er is geen betere manier …
Kom hier!'

En dan zwaaide hij de machtige smidshamer en deed het voor:

'Niet zó, maar zó,
Niet zó, maar zó!'

Deze woorden klonken de hele dag in de smederij, terwijl vurige vonken van het roodgloeiende ijzer spatten:

'Niet zó, maar zó,
Niet zó, maar zó!'

Alle knechten kregen een hartgrondige hekel aan de eigenwijze meestersmid. Ze bleven het liefst bij hem uit de buurt. Grapjes en kwinkslagen maakten ze alleen met elkaar. 's Avonds zochten ze zo vlug mogelijk hun bed boven de smederij op. Hun meester bleef dan moederziel alleen beneden in het schemerdonker bij de dovende smidsvuren achter.

Op een zomerdag stapte er een elf met grijze ogen de smederij binnen. Aan gouden leidsels voerde hij een witte eenhoorn mee. De twaalf knechten waren juist hun boterhammen gaan eten maar de meestersmid stond bij het laaiende smidsvuur te werken.

'Baas, deze eenhoorn moet dringend opnieuw beslagen worden,' zei de grijsogige elf. 'In de voorste hoefijzers moeten vier zilveren nagels gedreven worden en in de achterste zeven.'

'Dat zijn er in de voorste hoefijzers twee te weinig,' sprak de meestersmid vriendelijk. 'En in de achterste één te veel – ik zal in ieder hoefijzer netjes zes nagels slaan, zoals het hoort.'

De elf sprak hoofdschuddend: 'Nee, baas. In de voorste hoefijzers moet je vier zilveren nagels slaan en in de achterste zeven. Anders zal het je berouwen.'

'Maar dat is niet goed!' riep de eigenwijze meestersmid kregel uit. 'Je paard zal daar last van krijgen. Laat mij het doen op mijn manier, dat is gewoon de beste ... Niet zó, maar zó!'

En zonder verder op de elf te letten, besloeg hij de eenhoorn op zijn eigen manier.

Nauwelijks echter was de laatste nagel geslagen of er klonk een rommelende donderslag. Rinkelend vielen de hoefijzers van de hoeven van de eenhoorn. Het dier verkocht de meestersmid een enorme oplawaai. Een knal galmde door de smederij ... en de meestersmid was veranderd in een aambeeld!

Schouderophalend vertrok de grijsogige elf, zijn onbeslagen eenhoorn aan de gouden leidsels meevoerend.

Toen de twaalf knechten terugkeerden in de smederij, was hun meester tot hun verwondering spoorloos verdwenen.

'Opgeruimd staat netjes,' riep de jongste schouderophalend. 'Nu kunnen we tenminste smeden zoals we het zelf willen.'

'Makkers, kijk,' sprak een ander, 'hij heeft een gloednieuw aambeeld voor ons achtergelaten. Waar zou hij naartoe zijn gegaan?'

Lang piekerden ze niet. Algauw pakten ze vrolijk hun

werk op en bliezen het smidsvuur aan. Om beurten legden ze hun roodgloeiende ijzers op het nieuwe aambeeld. Met de zware voorhamer bewerkten ze het, ieder op zijn eigen manier.

Niemand vermoedde dat het aambeeld de betoverde meestersmid was. Slag na slag kreeg hij van de hamers te verduren. Hij kreunde van pijn, maar toch kon hij het niet laten eigenwijs commentaar te geven. Bij elke slag galmde de echo van ijzer op ijzer:

'Niet zó, maar zó,
Niet zó, maar zó!'

Weken verstreken. Iedere ochtend en iedere avond regende het slagen op de rug van de arme meestersmid. Iedere nacht stond hij eenzaam in de smederij. In het licht van de sterren overdacht hij dan alles wat hij gezien had. Langzaamaan moest hij toegeven: de dingen die zijn knechten maakten, waren prachtig en goed.

Hij zag hoe ze geduldig naar elkaar luisterden en elkaar hielpen als het nodig was. Maar als er niet om goede raad gevraagd werd, lieten ze elkaar met rust. Ieder zocht met vallen en opstaan naar een manier waarop hij het beste werkte. Dat waren verschillende manieren, maar de eigenwijze meestersmid zag verwonderd dat het bijna altijd goed ging. Soms waren de dingen die zo gemaakt werden zelfs mooier dan zijn eigen werk!

Hij kreeg vreselijke spijt van de wijze waarop hij zijn

knechten altijd behandeld had. Wat zou hij graag zijn oude gedaante weer terugkrijgen! Dan zou hij voortaan heel anders met zijn knechten omgaan. Maar hij had geen idee hoe de betovering verbroken kon worden. In het donker van de nacht huilde hij bittere tranen.

Op een mooie voorjaarsdag begon de oudste knecht zijn meester te missen.

'Het was een bemoeizieke mopperpot,' mompelde hij bij zichzelf, 'maar zonder hem is de smederij toch ook niet wat die moet zijn.'

En hij besloot de meestersmid te gaan zoeken. Maar omdat die al vele maanden weg was, zou het een lange, moeizame speurtocht worden.

Ik moet stevige schoenen hebben, bedacht de knecht, en wat is steviger dan ijzer?

Daarom sloop hij om middernacht naar de donkere smederij. Hij blies het smidsvuur aan en zocht ijzer om er schoenen van te smeden. Juist legde hij het roodgloeiend op het aambeeld, toen er een smekende stem klonk:

'Help mij, gooi mij in het vuur,
eerder ken ik rust noch duur!'

Het was het aambeeld dat wanhopig riep. Telkens wanneer de manestralen het beschenen, kon het praten. De knecht zag met ronde ogen van verbazing hoe er druppels van het aambeeld biggelden alsof het huilde. Medelijdend probeerde hij te doen wat de stem hem vroeg. Maar helaas, het aambeeld was loodzwaar en één man alleen kreeg er geen sikkepitje beweging in. De stem liet zich ondertussen niet meer horen, want de maansikkel was achter dikke wolken verdwenen. De knecht vroeg zich af of hij misschien alles had gedroomd.

De volgende ochtend vertelde hij zijn beste kameraad wat hij de afgelopen nacht had beleefd. Ze besloten om de nacht erop samen naar de smederij te gaan. Gespannen wachtten ze af. Nauwelijks vielen de eerste manestralen op het aambeeld of de smekende stem klonk weer:

'Help mij, gooi mij in het vuur,
eerder ken ik rust noch duur!'

Maar helaas, ook voor twee mannen was het aambeeld te zwaar. Wat de vrienden ook probeerden, ze kregen er geen beweging in.

Daarom riepen ze de volgende ochtend de andere knechten bijeen. Ze vertelden van de vreemde dingen die er op maanlichte nachten in de smederij gebeurden. Diezelfde nacht zaten ze allemaal rond het aambeeld en wachtten. Nauwelijks gleden de eerste manestralen eroverheen of de smekende stem klonk weer:

'Help mij, gooi mij in het vuur,
eerder ken ik rust noch duur!'

Nu stonden alle knechten op, lieten hun spierballen rollen en tilden het aambeeld van de vloer. Samen droegen ze het naar het laaiende smidsvuur ... en gooiden het erin!

Onmiddellijk flakkerden de vlammen brullend op. Ze likten aan de geblakerde zoldering van de smederij. En uit het vuur riep een stem:

'Vlammend smidsvuur gloeiend heet
vuur dat nieuwe vriendschap smeedt!'

Toen klonk er een dreunende donderslag ... Het volgende ogenblik was het aambeeld verdwenen en stapte de meestersmid ongedeerd uit de laaiende vlammen!

Het eerste wat hij deed, was alle knechten meester maken. Hij had immers als aambeeld gezien hoe meesterlijk iedere knecht smeden kon. Ze waren nu elkaars gelijken en zo trokken ze samen de wijde wereld in.

Wat de een niet wist, kon de ander, en wat de ander niet kon, wist de een. Het werd een gevierd stel omdat zij iedere opdracht tot een uitstekend einde brachten.

De toverboezelaar

Er was eens een vrouw die alles wat ze bezat altijd hartelijk deelde, maar alles wat ze bezat, was op geen stukken na genoeg.

'Och,' sprak ze zuchtend, 'wat zijn er verschrikkelijk veel mensen die moeilijkheden hebben. Bezat ik maar meer, dan kon ik iedereen helpen.'

En ze gaf haar laatste broodkruimeltjes aan een roodborstje dat in een hazelaar zat.

'Je bent een vriendelijke vrouw,' tjilpte het roodborstje. 'Daarom zal ik je een kostbaar cadeau geven. Zie je die hazelnoot hangen aan de onderste tak? Pluk hem en maak hem open, want in zijn binnenste zul je een toverboezelaar vinden. Knoop die om en steek je handen in de schortenzak. Ze zullen eruit halen waar je gedachten vol van zijn.'

Verwonderd deed de vriendelijke vrouw wat het vogeltje haar aanraadde. Warempel, in de hazelnoot zat een boezelaar! Ze knoopte de linten om haar middel en stak nieuwsgierig haar handen in de schortenzak. Tot haar stomme verbazing haalde ze er zeven knapperige broden uit! De vrouw bedankte het roodborstje wel duizend keer en danste dolgelukkig weg, want met haar toverboezelaar kon ze iedereen helpen, die het moeilijk had.

Nu was er een vrekkige vrouw die, verstopt achter een struik, alles gezien en gehoord had. Ze was schatrijk, zelfs de dakpannen op haar woning waren van zuiver goud en in haar kelder waren kisten vol zilver en edelstenen hoog opgestapeld. Maar van die rijkdom gaf ze geen stuivertje weg.

Ze dacht begerig: ik moet ook zo'n toverboezelaar hebben! Stel je voor, mijn gedachten zijn vol van goud. Ik zal rijker zijn dan de rijkste keizer en machtiger dan de machtigste koning. Ze haastte zich naar huis en viste een korst beschimmeld brood uit de vuilnisemmer.

Toen keerde ze terug naar de hazelaar waar nog steeds het roodborstje zat. Ze gooide de broodkorst naar hem toe en zuchtte schijnheilig: 'Ach, allerliefst roodborstje, er zijn verschrikkelijk veel mensen die moeilijkheden hebben. Bezat ik maar meer, dan kon ik iedereen helpen.'

Het roodborstje keek haar met een scheef kopje aan en vroeg spottend: 'Heb je soms toevallig een toverboezelaar nodig? Weet je wel zeker dat je wilt krijgen waar je gedachten vol van zijn?'

'Reken maar!' riep de vrekkige vrouw gretig uit.

Toen wees het roodborstje haar een hazelnoot en zei: 'Maak deze maar open. Je zult daarin je toverboezelaar aantreffen. Steek je handen in de schortenzak, maar pas op! Je zult krijgen waar je gedachten vol van zijn.'

De vrouw luisterde niet naar zijn waarschuwing maar rukte hebberig de hazelnoot van de hazelaartak en kraakte hem tussen haar benige vingers. En warempel, er zat een boezelaar in. Met een triomfantelijke kreet knoopte ze hem om haar middel en graaide met allebei

haar handen in de schortenzak.

Maar o, wat afschuwelijk! Er sprongen zeven gemene rovers uit! Ze sloegen de vrekkige vrouw met dikke knuppels en gristen alles mee wat ze bezat, zelfs haar gouden dakpannen. En ze scheurden de toverboezelaar aan honderdduizend reepjes zodat de vrouw de rest van haar levensdagen bedelend langs de deuren moest.

Het roodborstje had alles gezien en zuchtte.

'Ik heb haar gewaarschuwd,' overpeinsde het bij zichzelf. 'De gedachten van een gierigaard zijn immers altijd vol angst voor gemene rovers met dikke knuppels, die al zijn schatten zullen pikken. Wat had ze dan gedacht dat uit haar schortenzak zou komen?' En het fladderde weg om er niet meer terug te komen. Dus ik kan je jammer genoeg niet vertellen aan welke hazelaar die wonderlijke noten hangen!

Hannes en zijn viool

Er was eens een oude vioolbouwer die dolgraag wilde dat ook zijn drie zoons vioolbouwer zouden worden. Hij nam hen in de leer en was een strenge meester voor hen.

'Er zijn weinig goede vioolbouwers in het land,' vertelde hij hen vaak. 'Zorg ervoor dat je de beste wordt, dan is je kostje gekocht; je zult veel verdienen en een man van aanzien zijn.'

Zijn oudste zoons werden weldra echte meesters, maar – zoals dat gaat in sprookjes – de jongste, die Hannes heette, was een mislukkeling. Hoe hij ook ploeterde, hij kreeg de slag niet te pakken. Zijn broers lachten hem uit en bespotten hem en zijn vader was bitter teleurgesteld.

Op een kille zomerdag legde Hannes zijn gereedschap neer. De viool, waaraan hij bij het venster had zitten werken, was klaar. Hij streelde het glanzende muziekinstrument en bekeek het treurig.

'Ik ben niet voor vioolbouwer in de wieg gelegd,' mompelde hij. 'Ik heb heus vreselijk mijn best gedaan, maar deze erbarmelijke viool is om te huilen. Toch zal ik hem aan vader moeten laten zien.'

Zuchtend stond hij op.

De oude vioolbouwer bekeek het werkstuk van zijn jongste zoon met opgetrokken neus.

'Lieve help,' mopperde hij, 'waarom verspil ik mijn kostbare tijd nog aan jou? Moet dit een viool voorstellen? Ik heb nog nooit zo'n ellendig misbaksel gezien!'

Toen de twee oudere broers dat hoorden, kwamen ze naderbij en barstten in schaterlachen uit.

'Wat heb je nou gemaakt, broertje, een nieuw wasbord voor moeder?' pestte de grootste.

'Welnee, sufferd, da's een hobbelpaard, om ons buurjongetje te plezieren!' hoonde de ander. 'Of zou het misschien een viool kunnen wezen? Als dat het geval is, moet je ons eens op een stukje muziek trakteren, broertje!'

Mismoedig pakte Hannes zijn strijkstok en haalde hem over de snaren ... Bij de allereerste toon kromp hij ineen van ellende: het klonk alsof er duizend katten aan hun staart getrokken werden!

Zijn vader en broers sloegen hun handen voor hun oren en brulden vertwijfeld: 'Hou op!'

Hannes liet zijn viool zakken. Hij staarde doodongelukkig naar zijn schoenen. Er viel een dreigende stilte in de werkplaats. De oude vioolbouwer rees met gebalde vuisten op uit zijn stoel.

'Jij nagel aan mijn doodskist, nu is het afgelopen!' gromde hij knarsetandend. Hij rukte de viool uit Hannes' handen en smeet hem in het haardvuur zodat de vonken rondspatten. Toen pakte hij ook de strijkstok af en sloeg Hannes ermee om zijn oren.

'Verdwijn, miezerige prutser!' schreeuwde hij schor. 'Wat er van jou moet terechtkomen, is mij een raadsel!'

Tot besluit kreeg Hannes een harde trap tegen zijn achterwerk zodat hij naar buiten vloog, en werd de deur met een daverende dreun achter hem dichtgesmeten.

Met tranen in zijn ogen zwierf Hannes door de velden tot de zon roodgloeiend onderging. Toen sloop hij terug naar huis. Zachtjes duwde hij de deur van de werkplaats naar de kleine woning open. Hij hoorde zijn vader en moeder met elkaar praten.

'Ik heb er genoeg van,' klonk zijn vaders stem spinnijdig, 'die jongen leert het nooit. Morgenvroeg zal ik een meester zoeken die hem een ander ambacht leert.'

Met bonzend hart schuifelde Hannes achteruit de werkplaats in. Hij wilde geen meester meer, nooit meer! In het schemerdonker tussen de werkbanken nam hij een besluit: hij zou de wijde wereld in trekken om er zijn geluk te beproeven. Nog eenmaal keek hij de werkplaats rond waar hij zoveel jaren had doorgebracht. Plotseling viel zijn oog op de nagloeiende, knisperende houtblokken in de schouw. Verrast liep hij ernaartoe. Tussen de verkoolde blokken lag de viool die zijn vader in de vlammen gesmeten had! Hij was een beetje geschroeid, maar verder nog helemaal heel. Het haardvuur had de arme viool niet kunnen deren. In een opwelling viste Hannes zijn werkstuk uit de sintels en glipte ermee de werkplaats uit, de donkere nacht in.

Drie dagen lang zwierf Hannes met zijn viool door de heuvels. In de avondschemering van de derde dag bereikte hij een dichtbegroeid woud, waar hij de flakkerende gloed van een houtvuur tussen de bomen zag.

'Wat een geluk,' mompelde de uitgehongerde jongen bij zichzelf. 'Waar een houtvuur brandt, zit vast iemand te eten; misschien is er genoeg voor twee monden.'

Hij baande zich een weg door het struikgewas, terwijl hij verlekkerd de etensgeur opsnoof, die tussen de eikenbomen dreef. Bij een laaiend vuur zat een magere man met een wollen mantel aan te kleumen. Een dikke muts reikte tot aan het puntje van zijn haakneus. Hoewel hij dicht bij de vlammen een hazenboutje roosterde, zat de man onbedaarlijk te rillen.

Hannes was verbaasd: het was een zwoele zomernacht, maar de kerel gedroeg zich alsof er een ijskoude noordenwind tussen de bomen waaide! Lang verbaasde hij zich echter niet, want hij had een verschrikkelijke honger. Hij stapte op de koukleum toe, terwijl hij luchtig zei: 'Goedenavond, baas. Heb je er bezwaar tegen om zo'n smakelijk hazenboutje te ruilen tegen een stukje vioolmuziek?'

De rillende man keek op en staarde Hannes met twee felgele haviksogen aan.

'Goedenavond, knaap,' raspte zijn schorre stem. 'Dat is mij best, tast toe.'

Hannes legde zijn viool naast zich op de bosgrond en begon gulzig te eten. Hij en zijn gastheer kloven de gebraden haas af tot het laatste botje. Toen leunde de koukleum voldaan achterover en vroeg: 'Hoe heet je, jongeman?'

Maar zijn mantel was opengevallen. Tot zijn grote schrik zag Hannes dat er twee bokkenpoten onder schuilgingen! Hij zat aan de maaltijd met een duivel!

De duivel sprak grijnzend: 'Wees maar niet benauwd, ik doe je geen greintje kwaad. Nu begrijp je misschien waarom ik het zo vreselijk koud heb, hier buiten de gloeiende hel. Speel voor me op je viool want ik heb nog een stukje muziek van je tegoed!'

Waarom niet, dacht Hannes schouderophalend. Hij pakte zijn instrument, zette de strijkstok op de snaren en begon te spelen. Daar barstte de viool weer uit in een jammerend en piepend gekrijs. Hannes zweette van ellende, maar de duivel sprong enthousiast op en riep verrukt uit: 'Schitterend, schitterend!'

Hannes speelde tot hij niet meer kon. Toen hij eindelijk zijn strijkstok liet zakken, kreeg hij een daverend applaus van de duivel.

'Ga met me mee naar de hel!' riep satan opgewonden uit. 'We zoeken al eeuwen een goede muzikant. Dien ons zeven jaren trouw, dan ben je daarna vrij man en nog schatrijk op de koop toe!'

Hannes nam meteen zijn besluit.

'Mijn viool was bestand tegen de hitte van mijn vaders haardvuur, dus hij overleeft vast ook jullie hellevlammen,' grinnikte hij. 'Ik ben je man.'

De duivel was danig in zijn schik en haalde een contract met krullerige letters tevoorschijn.

'Tekenen met je bloed,' sprak hij. 'Maar denk erom! Als je je zeven jaren niet uitdient, nemen we je je voeten af en moet je voortaan op bokkenpoten door de wereld!'

Dat zal wel meevallen, dacht Hannes bij zichzelf en hij zette met een zwierig gebaar zijn handtekening. Toen wenkte de duivel hem naar een stinkende spelonk in de rotsbodem waar het hellevuur hen al tegemoet gloeide, en stampte met zijn hoef. In een oogwenk verdween het tweetal onder de aarde.

Zes vrolijke jaren speelde Hannes viool in de hel. Hij werd er goed behandeld en had het er uitstekend naar zijn zin. Het enige wat hem tegenstond, was de zwavellucht, maar ach, alles went.

In de hellekrochten woonden mensen die op aarde geleefd hadden als gewetenloze schurken: dieven, moordenaars en oplichters. Wanneer Hannes op zijn viool speelde, sloegen ze hun handen voor hun oren en kermden om genade. Maar de duivels dansten lachend op de maat van zijn muziek.

Op een ochtend hoorde Hannes iemand oorverdovend gillen bij de hellepoorten.

'Wat zou daar aan de hand zijn?' vroeg hij zich nieuwsgierig af. 'Het lijkt wel alsof er een speenvarken gekeeld wordt!'

Toen hij ging kijken, zag hij negen opgetogen duivels die joelend een beeldschoon meisje meesleurden. Hun prooi spartelde en gilde van woede en angst. Hannes zette grote ogen op en hij sprong verontwaardigd voor de joelende troep op de weg.

'Wat spoken jullie met haar uit?' schreeuwde hij. 'Slechteriken horen in de hel, maar zo'n lieftallig meisje toch niet!'

De duivels schaterlachten.

'Kijk maar uit voor dit lieftallige schatje, Hannes!' spotten ze. 'Dit engeltje is in werkelijkheid een prinses met een stenen hart! Wie niet naar haar pijpen danst, krijgt daar gloeiende spijt van. Heus vriend, geen mensenkind hoort méér thuis in de hel dan zij.'

Het mooie meisje keek Hannes smekend aan, met glanzende bruine ogen in een wasbleek gezicht. Haar

goudblonde lokken wapperden in de hete hellewind. Toen rukte de troep duivels aan haar kleren en ze trokken haar juichend mee. Huilend verdween ze in de kolkende vlammen.

Hannes kon niet geloven wat de duivels over het meisje gezegd hadden. Dezelfde avond sloop hij smoorverliefd naar de roodgloeiende kerker waarin ze de beeldschone prinses opgesloten hadden. Ze zat hartverscheurend te snikken. Toen Hannes haar zachtjes riep, keek ze met betraande ogen op.

'Prinses, allerliefste prinses ... wil je met me trouwen?' vroeg Hannes verlegen. 'Je bent me liever dan de gouden zonneschijn. Trouw met mij, dan zal ik je redden uit de hel!'

De koningsdochter bekeek de haveloze jongeman van zijn kruin tot zijn tenen en dacht minachtend: trouwen, wat een verbeelding heeft dat brutale schooiertje. Nooit van mijn leven trouw ik met een doodgewone, sjofele straatmuzikant! Maar als hij me hieruit kan halen, des te beter. En ze keek hem poeslief aan en fluisterde, knipperend met haar prachtige wimpers: 'Mijn dappere redder! Je bent me liever dan de zilveren maneschijn. Laten we onze bruiloft vieren zodra we uit deze afschuwelijke hel zijn!'

Hannes was dolgelukkig. Hij bevrijdde het meisje uit haar kerker en ze vluchtten hand in hand. Ze renden langs bodemloze afgronden vol brullend vuur en snelden door kokende, borrelende moddervlakten. Ze renden en renden, langs loeiende vlammen en door kleverige, stinkende pek. Telkens keken ze angstig over hun schouder of de duivels hen al achterna zaten.

Eindelijk kwamen ze bij de hellepoorten. Hannes duwde de prinses naar buiten door de nauwe spleet in de aarde. Toen wurmde hij zichzelf erdoor. Hij stond nog maar nauwelijks onder de sterrenhemel, of er klonk een donderklap. De jongen werd gehuld in een wolk van gifgroene damp. Toen die optrok, waren zijn voeten veranderd in bokkenpoten!

Vol afgrijzen keek Hannes ernaar. Hij probeerde een paar passen te zetten, maar hij struikelde en viel.

'Ik zal opnieuw moeten leren lopen,' stotterde hij. Hij

strekte zijn hand uit naar de prinses en smeekte: 'Help me overeind, allerliefste.'

Maar de prinses keek koeltjes naar hem en lachte minachtend.

'Dankjewel, edele redder,' spotte ze, 'maar vanaf hier weet ik de weg naar huis alleen wel.'

En ze liet hem doodgemoedereerd liggen en wandelde weg met haar wipneusje in de lucht.

Vanaf die dag strompelde Hannes door het land. Hij probeerde zijn kostje bij elkaar te scharrelen met bedelen en met muziek maken. Maar de mensen wantrouwden hem om zijn bokkenpoten en als ze zijn geblakerde viool hoorden jammeren, sloegen ze vol afschuw hun handen voor hun oren. Overal waar hij kwam, joegen ze hem schreeuwend weg met stokken en stenen.

Op een ijskoude winteravond lag de arme Hannes hongerig en rillend in een klein steegje. Hier vries ik dood, dacht hij, want ik kan niet verder.

Plotseling hoorde hij knerpende voetstappen in de sneeuw. Een meisje bleef bij de halfbevroren vioolbouwerszoon staan en bekeek hem medelijdend.

'Je ziet er moe en ziek uit, muzikant,' zei ze. 'Ik woon hier vlakbij en mijn moeder heeft een stoofpot bereid. Kom binnen, verwarm je en eet met ons mee. Waar genoeg is voor twee monden, is ook genoeg voor drie.' En ze opende een haveloze deur even verderop.

Ik ben gestorven en dit is een engel, dacht Hannes

verwonderd. Zoveel vriendelijkheid was hij niet meer gewend! Met een gevoel alsof hij droomde, wankelde hij het huisje binnen, waar een vrolijk haardvuur flakkerde.

De moeder van het meisje zat naast de schouw in een schommelstoel. Ze knikte Hannes hartelijk toe en schepte een blikken nap vol dampende bonenprut. Hannes pakte hem gretig aan en at tot zijn verschrompelde maag bijna barstte. Het meisje vertelde ondertussen dat ze Amanda heette en naaister was in het koninklijke paleis.

'Ik naai japonnen voor een prinses met een stenen hart,' glimlachte ze.

'Amanda!' fluisterde de moeder geschrokken.

Maar Hannes' hart ging sneller slaan. Hij dacht hoopvol: zou dat de beeldschone prinses zijn, die ik gered heb uit de hel? Want hij was nog steeds verliefd op haar, ook al had ze hem hulpeloos op het landweggetje achtergelaten!

'Wil je me morgen meenemen naar het paleis?' vroeg hij Amanda. 'Ik zou die prinses graag eens zien.'

'Als je maar zorgt dat zij jou niet ziet, want dat zou me mijn hoofd kosten!' waarschuwde Amanda.

De volgende ochtend smokkelde ze Hannes het koninklijke paleis binnen en verstopte hem in een notenhouten linnenkast in haar naaikamer.

'Hou je muisstil daarbinnen,' zei ze. 'Vandaag komt

de prinses een keurslijfje passen. Gluur stiekem door een kiertje in de kastdeur, dan kun je haar zien.'

Zo gebeurde het. Meteen toen de koningsdochter binnenkwam, herkende Hannes haar. Dat was het lieftallige meisje dat hij gered had uit de hel! Hij was dolblij haar terug te zien, maar plotseling fronste hij zijn wenkbrauwen. De mooie prinses smeet driftig haar nieuwe keurslijfje naar Amanda's hoofd.

'Stomme sufferd,' snauwde ze. 'Die misbaksels van rozenblaadjes die je erop geborduurd hebt, lijken sprekend op likkende hellevlammen! Borduur ze opnieuw en gauw een beetje, en als je weer klungelwerk levert, zul je er gloeiende spijt van krijgen!'

Vanaf die dag ging Hannes steeds vaker met Amanda mee naar het paleis. Eerst om vanuit de notenhouten linnenkast een glimp van de beeldschone prinses op te vangen, maar zijn verliefdheid waaide gauw over. De koningsdochter gedroeg zich zo wreed dat Hannes een vreselijke hekel aan haar kreeg. Maar Amanda vond hij steeds aardiger gezelschap.

Op een zonnige voorjaarsochtend wilde hij haar juist voorstellen om samen de benen te nemen, toen er venijnige voetstappen op de gang klonken. Bliksemsnel dook Hannes de linnenkast in. De kamerdeur sloeg met een klap open en de prinses stoof opgewonden naar binnen.

'Vanavond geeft mijn vader een groot bal!' snauwde

ze. 'Er komt een knappe, schatrijke prins op wie ik een oogje heb. Ik moet onmiddellijk een nieuwe baljurk.'

Ze rukte rollen stof van de planken terwijl ze ratelde: 'Donkerblauwe satijn, purperen tafzijde en dofgroen fluweel met glinsterend brokaat ... maak er de allermooiste japon van die je ooit genaaid hebt, en vliegensvlug want om vijf uur wil ik hem passen. Als hij niet klaar is, laat ik allebei je handen afhakken door de beulsknecht!'

Als een wervelwind verdween ze.

Amanda stond doodsbleek tussen de stoffen die de prinses achteloos op de vloer gesmeten had.

'Dat is onmogelijk ... dat lukt me nooit!' fluisterde ze wanhopig.

Maar Hannes stapte uit de linnenkast en troostte: 'Ik zal je helpen.'

Ze knipten, speldden en naaiden in driftige haast. Hun naalden flitsten door de glanzende stoffen en ze gunden zichzelf geen seconde rust. Maar ach, hoe verschrikkelijk hard ze ook werkten, het hielp hen niet. Toen de klok in de paleistoren vijf bronzen slagen liet horen, was de baljurk nog niet af.

Er klonk rumoer buiten op de gang en Hannes schoot halsoverkop de linnenkast in. De hooghartige prinses stampte de naaikamer binnen, gevolgd door twee gemeen loensende soldaten.

'Is mijn nieuwe baljurk af, luie meid?' snibde ze.

Bevend deinsde Amanda terug terwijl ze stamelde: 'Bijna, hoogheid. Een paar minuutjes nog ...'

Maar de prinses krijste paarsrood van woede: 'Hoe moet ik mij nu vertonen op mijn vaders feest?'

Ze greep de ellenstok en ranselde Amanda af. Eindelijk riep ze hijgend: 'Sleur haar naar de kerkers, dat gemakzuchtige schaap. Daar zal de beulsknecht haar een lesje leren!'

Amanda huilde en smeekte, maar de soldaten sleurden haar naar de vochtige, donkere kerkers onder het paleis en ketenden haar vast aan het hakblok. Onaangedaan begon de beulsknecht zijn bijl te slijpen.

Hannes was de soldaten ongemerkt achterna geslopen. In de kerker glipte hij achter een pilaar en zette zijn strijkstok op de snaren van zijn viool. Toen de beulsknecht zijn vlijmscherpe bijl omhoog zwaaide, begon Hannes te spelen. Hij speelde zoals hij nog nooit gespeeld had. Zelfs in de hel was hij niet zo op dreef geweest. Het klonk alsof alle katten van de wereld woest aan hun staart getrokken werden!

De beulsknecht brulde van ellende. Hij smeet zijn bijl rinkelend op de grond en drukte zijn kolenschoppen van handen tegen zijn oren. Toen de viool maar bleef krassen en krijsen, rende hij schreeuwend weg, met de soldaten in zijn kielzog. Hannes maakte Amanda vliegensvlug los en hand in hand vluchtten ze het paleis uit.

Om middernacht gespte Hannes zijn mantel om en zei grimmig tegen Amanda: 'Ik ga naar het paleis. In de balzaal danst de bekoorlijke prinses en lonkt naar alle prinsen. Maar ze heeft beloofd met mij te zullen trouwen en vanavond eis ik haar op als mijn bruid. Zo zorg ik ervoor dat ze onschuldige mensen nooit meer kwaad kan doen. Jij mag straks haar bruidsjurk naaien ... van een jutezak!'

En hij stapte onder de maanverlichte hemel naar het koninklijke paleis. Kaarslicht straalde uit honderd vensters en hij hoorde vrolijke dansmuziek. Bij de zilveren deur van de balzaal bleef hij staan, zette zijn viool onder zijn kin en begon te spelen. Het helse gejammer vulde de zaal en echode tegen de marmeren muren. De dansende paren lieten elkaar los en sloegen ontzet hun handen voor hun oren. De muzikanten lieten versteend hun trompetten, fluiten en luiten vallen. Maar de beeldschone prinses werd spierwit want ze had het krijsen van de viool herkend. In de deuropening speelde de schooier die haar gered had uit de hel!

'Waar is de prinses die ik heb gered uit de hel?' riep Hannes, terwijl hij zijn strijkstok liet zakken. 'Zij heeft beloofd met mij te zullen trouwen maar liet me lelijk in de steek, hetgeen vast een ongelukkige vergissing was. Vandaag kom ik mijn lieftallige bruid ophalen!'

Met opzet wierp Hannes zijn mantel van zich af zodat zijn bokkenpoten zichtbaar werden. Een zucht van afschuw en schrik sidderde door de balzaal. De prinses verstopte zich bevend achter de brede schouders van een potige prins.

De koning vroeg fronsend: 'Wie ben jij, knaap? En wat bazel je over de hel?'

Nu vertelde Hannes zijn verhaal en alle gasten luisterden ademloos. De koningsdochter werd steeds bleker, maar haar vader kleurde paars. Toen Hannes uitverteld was, schreeuwde de koning woedend tegen zijn dochter: 'Heb jij beloofd met deze jongeman te trouwen als hij je zou redden uit de hel? Hoe durf je die belofte te breken! Trouwen zúl je, en wel vandaag nog!'

Maar de prinses stampvoette van woede en afgrijzen. 'Ik, trouwen met een bedelaar met bokkenpoten en een krijsende viool?' gilde ze. 'Nooit, ik ga nog liever terug naar de hel!'

Toen spleet de grond onder haar gouden balschoentjes open en een doordringende zwavellucht vulde de zaal. De vlammen sprongen tot aan de kroonluchters! Krijsend verdween de trotse prinses in de flakkerende rode gloed van het hellevuur.

Hannes kreeg van de koning een paar glimmende, leren laarzen om zijn bokkenpoten te verbergen. Bovendien kreeg hij genoeg goud om zonder zorgen te leven. Hij trouwde met Amanda en ze waren erg gelukkig met elkaar. De trouwe viool kreeg een ereplaats in hun huis. Maar Hannes speelde er nooit meer op, want ze hadden hun oren te lief!

Het koperen, het zilveren en het gouden ei

Er was eens een gespikkeld hennetje dat verzot was op maïs. Op een zonnige zomerdag bolderde er een wagen langs de boerderij, volgeladen met barstensvolle zakken. In de achterste daarvan zat een rafelige scheur. Telkens wanneer de boerenwagen schokte, vielen door die scheur wat maïskorrels naar buiten. Zo gebeurde het dat er een kronkelend spoor van maïs terechtkwam op het landweggetje ... en het duurde geen zeven tellen of het hennetje had dat in de gaten!

Ze fladderde het boerenerf af en begon gulzig van de maïs te pikken. Ze schrokte en slokte en wandelde zonder omkijken de hotsende boerenwagen achterna. IJverig pikkend volgde ze het goudgele spoor dat haar weldra in een uitgestrekt woud bracht, en daar hield het plotseling op. Moederziel alleen stond het gespikkelde hennetje tussen de bomen en keek onthutst en geschrokken rond. In de verste verte was geen wagen met voortsjokkend paard meer te bekennen en op het zandpad lag geen enkel maïskorreltje meer. Ze kende dit woud helemaal niet. Hoe moest ze haar weg naar de boerderij terugvinden? Urenlang dwaalde het hennetje rond, maar wat ze ook aan paadjes vond: de terugweg was het niet.

Van haar hopeloze speurtocht kreeg het arme dier algauw weer vreselijk honger en daarom krabde ze eens flink in de bosbodem. Tot haar grote geluk kreeg ze een moddervette regenworm te pakken. Gretig wilde ze hem opschrokken, toen ze hem plotseling luidkeels hoorde jammeren:

'Schok me niet op, schrok me niet op!
Lief hennetje, laat me leven.
Dan vertel ik hoe je weer thuis kunt komen!'

Het hennetje besloot haar hongerige maag nog maar eventjes te laten knorren. Ze liet de spartelende worm los en kakelde: 'Vertel me dat dan maar gauw.'

De regenworm wees haar een holle lindeboom een eindje daarvandaan.

'Ga die lindeboom binnen,' zei hij. 'Je zult een nest van stro vinden, waarin een glanzend, koperen ei ligt en dat moet je geduldig uitbroeden, want de oplossing van je probleem zit erin!'

Het gespikkelde hennetje wrong zich puffend door een kleine opening in de holle lindeboom. Ze kwam in een lange, slingerende gang met houten deurtjes aan iedere kant en toen ze op goed geluk een deurtje openmaakte, vond ze erachter een kamertje met een nest waarin een glanzend, koperen ei lag, precies zoals de regenworm haar voorspeld had. Met een tevreden zucht plofte ze op het strooien nest, want broeden, dat kunnen hennetjes immers als de beste!

Een tijdlang zat het hennetje geduldig op het koperen ei. En wat denk je dat eruit kwam? Een slang!

‘Alle mensen,’ jammerde het hennetje. ‘Heb ik hiervoor alle moeite gedaan? Ik had beter de regenworm kunnen opslokken! Wat moet ik met zo’n gekke slang? Vertel me eens, slang, weet jij misschien de weg terug naar de boerderij?’

‘Welzeker,’ siste de slang, ‘loop mij maar achterna. Ik breng je veilig thuis.’

Hier kikkerde het gespikkelde hennetje van op. Het tweetal verliet de lindeboom en ging op pad. Maar onderweg stak de slang opeens zijn kop in een duister hol en riep: ‘Reintje, hier is je trouwe dienaar met een allersmakelijkst hapje!’

Tot ontzetting van het hennetje stoof er een gemeen grijnzende vos naar buiten. Ze zette het op een lopen. In paniek fladderde en struikelde ze door het dichte kreupelhout. De vos zat haar met roffelende poten likkebaardend op de hielen. Juist vóór de vos bereikte het hennetje de holle lindeboom. Haar belager kon niet door de nauwe opening en na een tijdje droop hij teleurgesteld af.

Het gespikkelde hennetje probeerde hijgend van de schrik te bekomen. Ze was helemaal ondersteboven van de verraderlijke streek die haar geleverd was en voorlopig durfde ze niet naar buiten. Omdat zij toch niets anders te doen had, besloot ze de slingerende gang in de lindeboom verder te verkennen. Ze bekeek alle deurtjes en opende voorzichtig het zevende aan de linkerkant.

Erachter was een kamertje met een nest waarin een glinsterend, zilveren ei lag. Misschien is dit ei beter, dacht ze hoopvol en ze liet zich erop zakken.

Eindelijk hoorde het hennetje het zilveren ei kraken. En wat denk je dat eruit kwam? Een eendenkuiken!

'Kom,' piepte het eendenkuiken, 'ik weet de weg!' en het rende de lindeboom uit.

Het donzige beestje zag er zo zelfverzekerd uit dat het hennetje erachteraan ging. Algauw was er geen twijfel mogelijk: het kuiken wist de weg uit het uitgestrekte woud. Het gespikkelde hennetje kakelde dolblij toen ze onder de bomen uit stoven. Maar plotseling stond ze beteuterd stil: voor haar snavel strekte zich een reusachtig meer uit. Het eendenkuiken plonsde het water in en zwom met spartelende pootjes verder en verder weg. Nog steeds piepte het luidkeels: 'Kom, ik weet de weg!'

Maar hennetjes kunnen niet zwemmen. Bedroefd sjokte het gespikkelde hennetje terug naar de holle lindeboom want misschien was daar tóch iets wat haar zou kunnen helpen. En warempel: in het állerachterste kamertje was een nest met een fonkelend, gouden ei. Eerbiedig liet het hennetje haar achterste erop zakken om het uit te broeden.

En wat denk je dat eruit kroop? Een grijsbruine woelrat met slimme kraalogen.

'Er is maar één manier om de weg terug naar de boerderij te vinden,' zei de woelrat. 'Je moet zélf eieren leggen!' En hij dacht erachteraan: dan kan ik je kuikens tenminste opvreten!

Het hennetje was stomverbaasd. Ze was helemaal vergeten dat ze zelf eieren kon leggen.

'Maar,' zuchtte ze, 'je wilt me toch niet vertellen dat mijn eigen kuikentjes me de weg kunnen wijzen?'

'Toe nou maar,' drong de woelrat aan. 'Je zult wel zien.'

Het gespikkelde hennetje legde drie eieren en broedde erop. De grijsbruine woelrat bleef rondhangen en wachtte geduldig zijn tijd af. 's Nachts, toen de rat in een diepe slaap was, kwamen de eieren uit. Het hennetje wilde de woelrat wakker maken, maar haar kuikentjes piepten verschrikt.

'Die gemene woelrat denkt maar aan één ding,' zeiden ze. 'Hij wil ons opvreten! We moeten vluchten, mama, maar neem de koperen, de zilveren en de gouden eierschalen mee.'

Het gespikkelde hennetje nam haar kuikentjes onder haar linkervleugel, de eierschalen onder haar rechtervleugel en zo sloop ze de lindeboom uit en vluchtte.

De kuikentjes vertelden haar welke kant ze op moest, maar algauw stond het hennetje voor de tweede maal aan de oever van het reusachtige meer.

'Jullie lijken het eendenkuiken wel,' mopperde ze. 'Moet ik soms jammerlijk verdrinken?'

'Maak je geen zorgen, mama,' zei het kleinste kuikentje. 'Geef mij de koperen eierschalen.'

Het kuiken nam de koperen eierschalen, hield ze open en ... daar stroomde het reusachtige meer het ei in!

Het gespikkelde hennetje rende verder met haar kuikens onder haar linkervleugel en de eierschalen en het ei met het meer onder haar rechtervleugel.

De kuikentjes vertelden haar welke kant ze op moest, maar algauw stond ze aan de rand van een reusachtig woud. Het kreupelhout zat vol venijnige doornen: daar kwam geen kip heelhuids doorheen.

'Aan jullie heb ik wat,' jammerde het hennetje. 'Moet ik soms levend aan reepjes gesneden worden?'

'Maak je geen zorgen, mama,' zei het tweede kuikentje. 'Geef mij de zilveren eierschalen.'

Het kuiken nam de zilveren eierschalen, hield ze open en ... daar marcheerde het reusachtige woud het ei binnen!

Het gespikkelde hennetje rende verder met haar kuikens onder haar linkervleugel en de eierschalen, het ei met het meer en het ei met het woud onder haar rechtervleugel.

De kuikentjes vertelden haar welke kant ze op moest, maar plotseling hield de weg op aan de voet van een steile, rotsachtige berg.

'Kijk nou toch eens,' huilde het hennetje. 'Moet ik soms van die akelige rotspieken te pletter vallen?'

'Maak je geen zorgen, mama,' zei het oudste kuikentje. 'Geef mij de gouden eierschalen.'

Het kuiken nam de schalen, hield ze open en ... daar bolderde de hele berg het ei in!

Het gespikkelde hennetje rende verder met haar kuikens onder haar linkervleugel en het ei met het meer, het ei met het woud en het ei met de berg onder haar rechtervleugel.

Nu waren ze halverwege en de terugweg strekte zich verder zonder obstakels voor hen uit. Het gespikkelde hennetje kreeg juist nieuwe moed, toen ze plotseling een beweging achter zich zag.

'De woelrat komt eraan!' schreeuwde ze. 'Arme, kleine schatten, hij zal jullie allemaal opvreten!'

Maar het kleinste kuikentje zei: 'Geef me vliegensvlug het koperen ei, mama.'

Het kuikentje kreeg het koperen ei, opende het en sprak: 'Meer, spring eruit!'

Het meer sprong klotsend uit het koperen ei en kwam precies voor de neus van de woelrat terecht. Het hennetje rende verder zo hard als ze kon. Maar de woelrat is een waterdier dus zwom hij zonder problemen het meer over. Toen het gespikkelde hennetje na een tijdje omkeek, zag ze hun achtervolger weer.

'De woelrat komt er weer aan!' schreeuwde ze. 'Arme, kleine schatten, hij zal jullie allemaal opvreten!'

Maar het tweede kuikentje zei: 'Geef me vliegensvlug het zilveren ei, mama.'

Het kuikentje kreeg het zilveren ei, opende het en sprak: 'Woud, spring eruit!'

Het woud sprong krakend uit het zilveren ei en kwam precies voor de neus van de woelrat terecht. Het hennetje rende verder zo hard als ze kon. Maar een woelrat is geen hennetje. Hij wrong zich zonder problemen door het kreupelhout vol venijnige doornen. Toen het gespikkelde hennetje na een tijdje omkeek, zag ze hun achtervolger weer. Hij haalde hen langzaam in.

'De woelrat heeft ons bijna te pakken!' snikte ze. 'Arme, kleine schatten, hij zal jullie allemaal opvreten!'

Maar het oudste kuikentje zei: 'Geef me vliegensvlug het gouden ei, mama.'

Het kuikentje kreeg het gouden ei, opende het en sprak: 'Berg, spring eruit!'

De berg sprong rommelend uit het gouden ei en kwam precies voor de neus van de woelrat terecht. Woedend probeerde de grijsbruine woelrat de steile, rotsachtige berg te beklimmen, maar ratten zijn daar niet voor geschapen en op de hoogste top vroor hij morsdood.

Nu konden het gespikkelde hennetje en haar kuikentjes zonder angst hun weg vervolgen. Toen ze de boerderij naderden, herkende het hennetje de omgeving en het duurde niet lang of ze leidde haar kroost het vertrouwde boerenerf op. Als ik me niet vergis, leven ze daar nog steeds, gelukkig en tevreden.

De kleine honingbij – een kerstsprookje

Er was eens een kleine honingbij die nectar zocht in een veld vol hemelsblauwe vlasbloemen. De zomer liep ten einde maar de zon straalde nog warm. De honingbij gonsde tussen de bloemen die knikten met hun kopjes. Ze was ijverig in de weer en keek op noch om.

Daar kwam de zuidenwind aanwaaien. Die bekeek het drukke gedoe van de bij en sprak: 'Zeg, kleine honingbij, zit eens eventjes stil want ik word duizelig van je. Waarom geniet je niet van de heerlijke zonneschijn? Jij vliegt en sjouwt maar.'

De honingbij keek verstoord op en bromde: 'Hela, zuidenwind, vrolijke Frans, ik heb geen tijd om te lanterfanten. En moet jij soms geen wasgoed drogen, of molenwieken aanblazen?'

De zuidenwind lachte zó dat de vlasbloemen ervan schudden.

'Hoor dat kruimeltje eens, wat is er mis met een ogenblikje rust? De wilde rozen bloeien weelderig en de leeuweriken zingen dat het een lieve lust is. Geniet van de verrukkelijke zomer, want straks in de koude winter zit je opgesloten in de bijenkorf.'

Nu was het de beurt van de honingbij om te schateren.

'Je doet alsof de bijenkorf een gevangenis is, maar het is daarbinnen tenminste lekker warm. Waarom zou ik in de donkere winter naar buiten willen? Dan is er alleen maar bittere sneeuw en bijtend ijs, en niets dat nog de moeite waard is.'

'Hoho!' protesteerde de zuidenwind. 'Wat je daar zegt over de winter, is niet waar. Het is bitter koud en donker, dat is niet gelogen. Maar midden in de koudste, donkerste winternacht wordt de wereld mooier dan ooit.'

De kleine honingbij keek hem ongelovig aan en lachte schamper.

'Wat zeg je me daar, zuidenwind? Hoe kan de wereld in de donkerste, koudste winternacht mooier zijn dan ooit? Probeer je een arme honingbij voor de gek te houden?'

Maar de zuidenwind buitelde opgewonden door de boomkruinen.

'Welnee, kleine honingbij, vlieg maar eens met me mee, dan zal ik je iets laten zien waardoor je het zult begrijpen.'

En weg stoof hij over het vlasveld.

De kleine honingbij was vreselijk nieuwsgierig geworden na de geheimzinnige woorden van de zuidenwind, zó nieuwsgierig dat ze haar drukke werk vergat. Ze haastte zich achter haar nieuwe vriend aan om het raadsel op te lossen.

'Waar vliegen we naartoe, zuidenwind?' hijgde ze toen ze hem had ingehaald.

'Naar de grote stad: die dakenzee daarginds aan de verre horizon,' vertelde de wind al wijzend. 'Zie je de torenspits die er hoog bovenuit steekt? Die is van een eeuwenoude kathedraal. Daar moeten we wezen.'

Over graanakkers en weilanden vlogen ze, en toen bereikten ze de grote stad. Van de dikke stadsmuren was het maar een steenworp afstand naar de reusachtige kathedraal. In een boograam in het middenschip zat een gaatje in het glas-in-lood. Daardoor tuimelde de zuidenwind naar binnen met de kleine honingbij achter zich aan.

Ze vlogen naar een ebbenhouten lezenaar bij het altaar, waarop een dik boek lag, vol krullerige letters en verguldsel, en een fluwelen lint. Terwijl ze boven de lezenaar zweefden, bladerde de zuidenwind in het boek. Bladzijde na bladzijde sloeg hij om, tot hij had gevonden wat hij zocht en hij begon fluisterend te lezen:

'In die dagen gaf keizer Augustus het bevel alle mensen in zijn rijk te tellen. Iedere man moest zich inschrijven in de stad waar hij geboren was. Daarom ging Jozef naar Betlehem, in Judea, samen met zijn vrouw Maria. Maria verwachtte hun kindje, dat spoedig geboren zou worden. Toen zij in Betlehem kwamen, was er in geen enkele herberg plaats voor hen. Ze moesten overnachten in een stal en daar bracht Maria haar kindje ter wereld. Ze wikkelde het in doeken en legde het in een kribbetje.

Niet ver daarvandaan bevonden zich herders op de velden, die waakten over hun kudden schapen. Midden in de nacht verscheen een engel die sprak: 'Vrees niet! Ik breng grote blijdschap want vandaag is voor jullie een redder geboren in Betlehem. Dit zal voor jullie het teken zijn: je zult hem vinden in een kribbe. Zijn moeder heeft hem gewikkeld in doeken.'

Toen daalden nog duizend engelen neer, die jubelden: 'Eer aan God in de hemel, vrede op aarde voor de mensen van goede wil.'

En de sterrenhemel was vol zingende stemmen en vleugelgedruis.

De herders zeiden tegen elkaar: 'Laat ons naar Betlehem gaan!'

Daar vonden ze het kindje, precies zoals de engel voorspeld had. Vol verbazing en blijdschap knielden ze bij het kribbetje neer.'

De zuidenwind stopte met lezen en zuchtte dromerig.

'Is dat geen prachtig, allerwonderlijkst verhaal?' fluisterde hij. 'Weet je, kleine honingbij, ieder jaar kun je dat kindje hier in de kathedraal zien. De mensen noemen het: het Kerstkind. Midden in de allerdonkerste winternacht sluimert het hier in de kribbe. Dan branden alle kaarsen, honderden en honderden. Hun vlammetjes weerkaatsen in de ogen van de kinderen, die kerstliederen zingen, en alle mensen van de hele stad knielen bij het kribbetje neer, precies zoals de herders in het dikke boek. En ze vertellen elkaar dat dit kind de vriend is van al wat leeft.'

'Van ál wat leeft?' bromde de kleine honingbij. 'Dan zou hij ook míjn vriend zijn, zuidenwind, leugenaar!

Weet je dan niet dat de mensen een bij het liefst doodslaan?'

'Dít kindje niet, kleine honingbij. Dit kindje slaat niemand dood. Het is lieflijker dan een roos, zachtmoediger dan een duif en stralender dan een ster. Het zal niemand ooit kwaad doen, want het brengt de vrede mee.'

Hier moest de kleine honingbij een ogenblikje over nadenken. Toen zei ze wantrouwig: 'Maar het is maar één kindje op duizendmiljoen mensen. Wat schiet je daarmee op?'

De zuidenwind bulderde van het lachen zodat het echode door de gewelven en zingend galmde in de orgelpijpen.

'Kleine honingbij, eigenwijze kruimel, ga zelf maar eens kijken. Alle grote en kleine mensen die bij dat kribbetje knielen, nemen zich één ding voor. Het straalt van hun gezichten, het glanst in hun ogen: zij willen ook zo worden als dat kindje!'

'Als dat werkelijk zo is ...' fluisterde de kleine honingbij verbaasd. 'Warempel, dán is in die nacht de wereld mooier dan ooit.'

Terug in het veld onder de warme zomerzon streek het bijtje neer op een vlasbloem. Ze vergat helemaal om te werken, en staarde verstrooid voor zich uit.

'Hela, proef je niet van mijn kostelijke nectar?' vroeg plotseling een stemmetje onder haar. Dat was de vlasstengel, en hij klonk heel verbaasd want meestal waren bijen ijverig bezig en keken op noch om.

'Och, beste vlasstengel,' zuchtte de kleine honingbij droevig. 'De zuidenwind heeft zoiets prachtigs verteld. Het is het verhaal van een heel bijzonder kind. De mensen noemen het: het Kerstkind. Het is lieflijker dan een roos, zachtmoediger dan een duif en stralender dan een ster. Ieder jaar ligt het in een kribbetje in de kathedraal in de verre, grote stad. Ik moet er steeds aan denken. Ik zou dat kindje zo verschrikkelijk graag eens zien!'

'Moet je daarom zo droevig en verstrooid wezen?' vroeg de vlasstengel. 'Als je dat kindje wilt zien, vlieg je er toch gewoon naartoe: je hebt vleugeltjes! En proef je nou van mijn kostelijke nectar?'

Maar tot zijn grote schrik barstte de kleine honingbij in tranen uit.

'Ik zal het Kerstkind nooit kunnen bezoeken!' snikte ze. 'Het wordt geboren in de koudste en donkerste winternacht, dan slaap ik in de bijenkorf en als ik buiten durf te komen, vries ik dood.'

Vlak bij hen schraapte iemand luidruchtig zijn keel. Het was de grijze tonderzwam die aan de dode berkenboom groeide.

'Wat is dat voor gebazel over een Kerstkind?' vroeg hij knorrig. 'Waarom maken jullie zo'n herrie om een mensenkindje? Jullie maken me wakker met je gedoe!'

Hij was stokoud en hij dutte het grootste deel van de tijd.

'Neem me niet kwalijk, tonderzwam,' zei de kleine honingbij eerbiedig. 'Het was niet mijn bedoeling u wakker te maken. Maar het mensenkindje waarover wij spraken, is heel bijzonder.'

En ze vertelde het verhaal van het Kerstkind, en ook vertelde ze wat de zuidenwind haar had gezegd over de donkerste, koudste winternacht. De tonderzwam en de vlasstengel waren er allebei ondersteboven van.

Toen fluisterde de tonderzwam: 'Warempel, dat kindje zou ik ook wel eens willen ontmoeten: een mensenkind dat de vriend is van alles wat leeft! Zou hij ook de vriend van de tonderzwammen zijn?'

En de vlasstengel zei ademloos: 'Wat een vreemd avontuur, wat een wonderlijk kind! Worden door hem de mensen werkelijk vriendelijk en zacht? Dan brengt hij hoop voor kleine wezentjes zoals wij! Ach, konden we hem maar opzoeken, dan konden we hem daarvoor bedanken.'

De tondelzwam zuchtte mismoedig.

'Daar zeg je zowat, vriend vlas. Konden we dat maar! Maar ik moet me vastklampen aan de berkenstam. Ik kan niet vliegen zoals de honingbij of zweven zoals de zuidenwind. Nooit zal ik het Kerstkind zien.'

'Of ik,' zei de vlasstengel gelaten. 'Want ik moet sterven vóór de winterstormen invallen. De boerenknechten zullen komen om me te oogsten en te repelen. Het Kerstkind zal nooit weten van mijn bestaan.'

Ze zwegen bedroefd terwijl de zomerzon straalde en

de vogels kwetterden. Eindelijk zei de vlasstengel aarzelend: 'Zeg, kleine honingbij ... zou je tóch in die winternacht niet eens naar dat kindje willen vliegen? Probeer het alsjeblieft! Als het lukt, groet het dan van mij. Ik kan het geen geschenken geven, en ook geen dankjewel zeggen, maar als ik weet dat jij het mijn groeten brengt, zal ik geruster sterven.'

En de tonderzwam zei: 'Waarachtig, honingbij, de vlasstengel oppert een geweldig idee! Jij bent de enige van ons die naar het kribbetje kan gaan. Toe, vlieg uit komende winter en breng het Kerstkind onze groeten!'

Maar de kleine honingbij kromp angstig in elkaar.

'Hoe kunnen jullie dat van mij vragen? In de winter kán ik niet uitvliegen, ik zou bevriezen en dood neervallen in de velden.'

Verdrietig vloog ze weg en kwam lange tijd niet terug.

Het einde van de zomer naderde en de vlasoogst begon. De kleine honingbij was druk bezig dicht bij de akkers. Plotseling hoorde ze een angstige schreeuw. Dat was de vlasstengel met wie ze een poos geleden gesproken had! Een boerenknecht rukte hem ruw uit de grond. De knecht hoorde de wanhopige schreeuw van de vlasstengel niet eens. Hij werkte hevig zwetend door, grapjes makend met zijn vrienden, de andere boerenknechten. Woedend vloog de kleine honingbij op hem af, klaar om flink te steken.

‘Gemene moordenaar!’ gilde ze huilend.

Maar de vlasstengel smeekte: ‘Kleine honingbij, niet steken! Het verandert niets, ik ben verloren. De mensen zullen me drogen, repelen en braken. Ze zullen linnen van me weven om kleren van te maken. Vriendje, vlieg toch deze winter naar het Kerstkind en breng het mijn groeten! Vertel het, dat het licht heeft gebracht in de laatste maanden van mijn leven. Ik heb zoveel van hem gedroomd terwijl ik wiegde in de wind.’

Toen was de gebogen arm van de boerenknecht vol en hij bracht de vlasstengels weg. Ze werden in bundels op het stoppelige veld gezet.

De kleine honingbij was nauwelijks bekomen van de schrik, of opnieuw klonk er een jammerende schreeuw. Ditmaal was het de grijze tonderzwam. Ontdaan vloog het kleine bijtje eropaf. Bij de berkenboom knielde een magere man die de tonderzwam afbrak en hem in zijn ransel stopte.

‘Gemene moordenaar!’ gilde de kleine honingbij huilend en ze richtte haar angel om de kerel flink te steken.

Maar de tonderzwam smeekte: ‘Klein honingbijtje, niet doen! Het verandert niets, ik ben verloren. De mensen zullen me in snippertjes snijden, koken en kloppen. Ze zullen me in een tondeldoos stoppen om vuur te maken. Vriendje, vlieg toch deze winter naar het Kerstkind en breng het mijn groeten. Vertel het, dat het blijdschap heeft gebracht in de laatste maanden van mijn leven. Ik heb zoveel van hem gedroomd in het gouden licht van de zomerzon.'

Toen gespte de magere man zijn ransel dicht en beende met grote stappen weg.

De kleine honingbij snikte van verdriet om haar vrienden. Arme vlasstengel, die gebroken zou worden. Arme tonderzwam, die branden moest. Ze kon niets doen om hun leven te redden. Het enige wat ze doen kon, was het Kerstkindje hun groeten gaan brengen. En plotseling nam ze een geweldig dapper besluit. Als dát het enige was, dan zou ze dat doen, al zou ze moeten uitvliegen in de koudste en donkerste winternacht ...

Toen de herfst begon met kille regens, verdwenen alle bijen in hun warme korf. Ze sliepen en merkten niet dat de westenwind de boomkruinen leegschudde. De bloemen verdorden, het riet stierf, en het werd langzaam winter.

Toen, in de koudste, donkerste nacht, ontwaakte de kleine honingbij.

'Nu moet ik dapper zijn, en vliegen!' fluisterde ze bij zichzelf en bibberend kroop ze naar buiten om aan de gevaarlijke tocht te beginnen.

Hoe anders was de wereld in de winter! Alle bomen waren kaal, hun kronkelige takken zilverglanzend in het licht van de maan. De uitgestrekte velden waren witbesneeuwd. Niets bewoog er, alleen het kleine honingbijtje. Over de bevroren aarde vloog ze, en onder de flonkerende sterren.

Eindelijk kwam ze bij het vlasveld, dat nu braak lag. Uitgeput streek ze een ogenblikje neer op een kaardenbol die ritselde in de vrieswind. Een kindje zo lieflijk als een roos, dacht ze. Met die gedachte probeerde ze zichzelf een beetje te verwarmen. Mistroostig schudde ze haar kopje en fluisterde: 'Het is nog zo ver naar zijn kribbetje. Ik ben al zo vreselijk moe en koud, zou ik niet liever omkeren? Dan haal ik de warme bijenkorf nog wel. Straks is het misschien te laat en dwarrel ik morsdood naar de aarde!'

Maar plotseling moest ze denken aan de arme vlasstengel, en ze vloog verder. Over het bevroren veld vloog ze, en onder de flonkerende sterren, helemaal alleen.

Ze vloog en vloog, maar ondertussen verduisterden dreigende wolken de nachthemel en plotseling begon het te sneeuwen. De vlokken dansten om de kleine honingbij. Ze werd er tureluurs van. Ze wist niet meer wat onder of boven was en raakte verstijfd van kou. Een kindje zo zachtmoedig als een duif, dacht ze bibberend. Met die gedachte probeerde ze zichzelf een beetje moed in te praten. Toen schudde ze vol wanhoop haar kopje. Ik zal nooit zijn kribbetje vinden in deze witte warreling. Ik kan beter omkeren. Wie weet, haal ik de warme bijenkorf nog wel. Straks is het misschien te laat en dwarrel ik morsdood naar de aarde!

Maar plotseling moest ze denken aan de arme, grijze tonderzwam en ze ploeterde voort. Over de bevroren aarde vloog ze, door de jachtende sneeuw, helemaal alleen.

Eindelijk, eindelijk kwam ze bij de stadsmuur. Nu was het nog een steenworp naar de kathedraal. Maar het bijtje was drijfnat van de sneeuw en half bevroren. Meer dood dan levend streek ze neer op het eeuwenoude metselwerk en liet haar kopje hangen. Gelukkig was het wolkendek gebroken en het sneeuwde niet langer. Ontelbare sterren schitterden aan de vrieshemel. Een kindje, stralender dan een ster, dacht de kleine honingbij verdoofd. Ze keek naar boven en ze zag een ster twinkelen, lichtender dan alle andere, precies boven de kathedraal.

Toen ze naar beneden keek, zag ze warm aangeklede mensen die zich door de besneeuwde straten en steegjes haastten. Ze gaan naar het kindje, dacht de kleine honingbij en vergat hoe uitgeput ze was. Met haar laatste krachten vloog ze zwalkend naar de kathedraal.

Helder licht straalde uit alle boogramen en wierp kleurige plekken op de sneeuw. Daarboven was het gaatje waardoor ze met de zuidenwind naar binnen was geglipt: hoog, hoger moest ze. Maar de vlucht naar het hoge middenschip was teveel, ze kón niet meer. Haar vleugeltjes bevroren in de ijzige wind. Hulpeloos dwarrelde ze naar beneden. Nu is alles verloren! was haar laatste gedachte.

Ze viel op de bolhoed van een deftige baron. Die dacht dat ze een sneeuwvlok was en schudde haar op de grond. Daar stierf de dappere, kleine honingbij, terwijl boven haar de kerstklokken begonnen te luiden.

De kerstnacht was aangebroken! De klokken in de torens riepen het met bronzen stem. Mijlenver en hemelhoog was het te horen, in de bevroren velden en in de besneeuwde stad.

En toen klonk, heel zachtjes, het gedruis van duizenden vleugels. Een helder lied vulde hemel en aarde. Plotseling was de lucht vol engelen. Ze straalden als de zomerzon en glansden als de volle maan. Deze nacht, de koudste en donkerste winternacht, kwamen ze het Kerstkindje brengen. Ze daalden zingend uit de hemel neer en zweefden in een eindeloze stoet de kathedraal binnen, het kindje in hun armen.

Helemaal achteraan vloog een engel met gouden haren. Ze was voor het eerst op aarde en kwam ogen en oren tekort. Wat was alles prachtig, nu ze het van zo dichtbij kon zien! Verrukt keek ze naar de witte daken met ijspegels aan goten en vensters. Verwonderd staarde ze naar de bomen vol glinsterende rijp.

Zo kwam het dat ze plotseling op de besneeuwde straat een kleine, roerloze gedaante opmerkte. De engel slaakte een kreet, want ze herkende de honingbij. Bedroefd knielde ze naast het dode diertje neer.

'Arme, kleine honingbij,' sprak ze medelijdend. 'Dat ik je hier moet vinden, doodgevroren op je dappere tocht. Toen we uit de hemel weggingen, was je vlak bij de kathedraal! We dachten allemaal dat we je bij het kribbetje zouden ontmoeten ...'

Ze raapte het diertje voorzichtig op en blies zachtjes de sneeuw van de vliesdunne vleugeltjes. Toen fluisterde ze: 'Waar op aarde vind je zoveel trouw? Deze kleine honingbij verdient het beloond te worden! Haar terugroepen uit de dood kan ik niet, maar heeft ze de afgelopen zomer geen honingraat gebouwd? Van de bijenwas van die honingraat hebben de mensen een kaars gemaakt. Welnu, dit kan ik doen: ik zet haar zieltje in die waskaars. Zolang hij brandt, zal ze erin voortleven. Zo kan ik haar allerliefste wens in vervulling laten gaan ...'

Niemand zag de engel met gouden haren toen ze de kathedraal binnenwiekte, want het was er aardedonker. Straks, straks gingen alle kaarsen aan. De basstem van de pastoor galmde door de gewelven. Hij las uit het dikke boek waarin de zuidenwind gebladerd had. Het was het verhaal van het Kerstkind en alle mensen luisterden in ademloze stilte. De kerk geurde naar dennengroen en witte rozen en wierook.

De engel met gouden haren vloog naar de armoedige kribbe. Daar lag het kleine kindje! Het was lieflijker dan een roos, zachtmoediger dan een duif en stralender dan een ster. Maar ach, hoe schreide het omdat het zo donker was en zo bitter koud! Zijn adem dreef in witte wolkjes de lucht in.

Voor het kribbetje stond een dikke waskaars op een kandelaar. Het was de kaars die gemaakt was van de honingraat van het kleine bijtje. De engel glimlachte en blies zachtjes, een zuchtje adem, meer niet. Zo gleed de ziel van de kleine honingbij in de waskaars en sluimerde er tot het vuur haar wekken zou ...

'Daar vonden ze het pasgeboren kindje, precies zoals de engel verteld had. Vol verbazing en blijdschap knielden ze bij de kribbe neer ...'

Het verhaal was uit. Er ging een zucht door de donkere kathedraal. De pastoor vouwde zijn handen en knikte naar zijn misdienaar. De jongen bloosde van plezier want nu kwam het mooiste van de hele nachtmis! Hij mocht de kaars bij het kribbetje aansteken. Aan dat vlammetje zouden alle kaarsen in de kerk aangestoken worden, honderden en honderden. Alle mensen keken naar hem, terwijl hij gewichtig naar de kribbe liep en neerknielde. De misdienaar maakte de tondeldoos open ...

'De oude, grijze tonderzwam!' zei een stem verbaasd.

'Ken je mij? Wie ben je dan?' fluisterde de tonderzwam verbluft, want ja, hij was het. Hij lag in de tondeldoos, gekookt en geklopt en in snippers gesneden. Tondel was hij geworden, waarmee de mensen vuur maken.

Er grinnikte iemand.

'Ik groeide op het vlasveld, en jij groeide aan de berkenstam. De zomer was vol zonneschijn en een kleine honingbij vertelde ons een wonderlijk verhaal. Ken je mij niet meer?' lachte de stem.

De tonderzwam staarde naar de waskaars en warempel, nu herkende hij de witte lont! Het was de vlasstengel die evenals hij gedroomd had van het Kerstkind. De mensen hadden hem gedroogd, gerepeld en gebroken, maar ze hadden geen linnen van hem geweven. Ze hadden een vlaspit van hem gevlochten en daarmee een waskaars gemaakt. Vol ongeloof en blijdschap keken de tondel en de vlaspit elkaar aan.

Op dat ogenblik sloeg de misdienaar met zijn vuurstenen een vonk in de tondel, die vlam vatte. De misdienaar bracht het likkende vlammetje voorzichtig naar de vlaspit. De tonderzwam en het vlas omhelsden elkaar, en de waskaars begon te branden. Hij verspreidde zo'n helder en warm licht dat het Kerstkind getroost zweeg. Het lachte naar de vlam waarin het vlas en de tonderzwam nu samen dansten.

'Kijk daar eens!' juichte de vlaspit. 'Daar is het Kerstkindje waarvan de kleine honingbij ons verteld heeft!'

'Waarachtig,' mompelde de tondel ontroerd. 'Hoe

bestaat het dat het lot ons juist hier gebracht heeft! Lief kindje klein, jij vriend van al wat leeft, je bent nog mooier dan ik gedroomd had. Ach, allerbeste vlaspit, kon de kleine honingbij maar bij ons zijn ...'

'Je wens is vervuld, je wens is vervuld!' zong een vrolijk stemmetje vlakbij.

'Wie durft daar te spotten met mij?' bromde de tondel nijdig.

'En met de arme honingbij!' zei de vlaspit diepbedroefd. 'Ons vriendinnetje had zo verschrikkelijk graag het Kerstkindje willen zien.'

'Ik bén de kleine honingbij! Weten jullie, mijn tocht door de ijskoude, donkere winternacht naar de kathedraal was afschuwelijk. 's Winters kúnnen bijen niet uitvliegen. Ze bevriezen en dwarrelen dood neer op aarde. Dat gebeurde ook. Had ik het niet voorspeld?'

'Ben je dood, kleine honingbij?' vroeg de vlaspit verwonderd. 'Dat kan helemaal niet, want we horen je praten!'

'Hoe moet ik begrijpen wat er gebeurd is? Ik ben maar een arme, kleine honingbij. Het ene moment tuimelde ik dood naar beneden ... en het volgende moment zat ik in deze waskaars, die gemaakt is van mijn honingraat. Lieve vlasstengel, beste tonderzwam, is het geen wonder? Niemand is dichter bij het Kerstkindje dan wij!'

En daar werden ze alle drie stil van.

Toen nam de misdienaar een kleine kaars. Hij ontstak die aan de waskaars bij het kribbetje en stak met het flakkerende vlammetje alle kaarsen aan, honderden en honderden. De kaarsvlammetjes weerkaatsten in de ogen van alle mensen, die glansden van vrede. Een kind speelde op een fluit en een lied als een droom weerklonk.

De honingbij, de tonderzwam en het vlas stonden die hele lange, bijzondere winternacht bij de kribbe. Ze brandden en hielden zo het Kerstkind warm. Ze straalden, want dit was hun geschenk voor de vriend van kleine wezentjes. Niemand in de hele wereld was gelukkiger dan zij.

Tot het ochtendgloren brandden ze en toen was de waskaars op. Terwijl de vlaspit langzaam doofde, stegen mét de kringelende rook drie kleine zielen op. Boven in de gewelven van de kathedraal wachtte de engel met de gouden haren, glimlachte en nam hen voorzichtig in de palm van haar hand. Toen droeg ze hen hoger en hoger, naar buiten, de wijde hemelkoepel in en daar plaatste ze hen als drie kleine sterren.

Wanneer je in de kerstnacht naar boven kijkt, kun je ze zien: het zijn de drie sterren die het helderst stralen, dicht bij elkaar.

Van 'De kleine honingbij' heeft Monique met haar zoon Bart een musical gemaakt. Je kunt de liedjes beluisteren op www.monique van der zanden.nl.

Monique van der Zanden wilde van jongs af aan al kinderboeken schrijven. Vanaf haar negende verschenen verhaaltjes en versjes van haar op de kinderpagina van een krant. In groep 7 (die toen nog vijfde klas heette) won ze een landelijke sprookjeswedstrijd. Ze kreeg de hoofdprijs van Anton Pieck, de bedenker van de Efteling. Later, toen ze gepest werd op de middelbare school, werd schrijven nog veel belangrijker voor haar: haar fantasie hielp haar door die moeilijke tijd.

Taal is altijd Moniques grote hobby gebleven, en tien jaar geleden kwam haar droom uit: in 2000 verscheen *Prins Echo* als Leesleeuw bij Uitgeverij Zwijsen, haar eerste boek! Op het omslag stond haar fantasienaam 'Ibis', een naam die ze gekregen had van kinderen van Scouting Lucas in Den Bosch. Nog veel meer boeken volgden, eerst ook onder de naam Ibis, maar sinds 2005 onder haar eigen naam.

Om Moniques tienjarig jubileum als kinderboekenschrijfster te vieren, is *Prins Echo* opnieuw uitgegeven, dit keer als lekker dik Boekbendeboek met nog zeven andere sprookjes erbij.

Wil je weten welke boeken Monique sinds 2000 allemaal geschreven heeft? Ga dan naar www.moniquevanderzanden.nl.